清　陳鏡伊編

道德叢書　之十一

人獸之變

上編　靈異動物八十四則
下編　人變動物七十八則

世界書局

人獸之變

王震書

發行所
廈門 [illegible] 宏善書局
上海 [illegible] 道德書局

人獸之變 道德叢書之十一

江蘇海門陳鏡伊編

目錄

(二)賢羊類

(三)賢牛類

(四)賢馬驢類

下編　人變動物

（一）變犬類

（二）變羊類

姦淫變羊　殺降變猪

(三) 變猪類

逆婦變猪 二則　構陷變猪

多殺變猪 二則　侵漁變猪

奸臣變猪　變猪償債 二則

竊錢變猪　畢肖猪形

變猪報仇　猪魂戀肉

足如猪蹄　猪變人頭

猪變人形

猪作人言

(四) 變牛類

逆婦變牛 二則
殘忍變牛
殺降變牛
奸臣變牛
謀財變牛
陰惡變牛
化牛償債 五則
肢變牛蹄
額生牛角
牛作人言

（五）變驢馬類

侮父變驢
逆婦變驢
作僞變驢
欺妄變驢
貪求變驢
貪贓變驢
刻薄變驢
背夫變馬
手類馬蹄
腿有馬毛

人獸之變　道德叢書之十一

江蘇海門陳鏡伊編

上編　靈異動物

第一章　賢獸

(一)　賢犬類

孝犬殉母

嚴州青谿王姓。家養母犬。與所生小犬同牢。一日主殺其母。烹半。邀客共食。犬子繞案下。伺人擲骨於地。卽銜去。往返者數。王對客笑曰:『人言犬不認骨。信然。』食盡。犬不復來。王怪而尋之。則見園中犬骨疊成一堆上覆以土而小犬死於母骨旁矣王大驚悔遂并埋其半。與客共戒不食。作「孝犬記」以風世。

孝犬反哺

德興農家詹材家貧。犬生子無食。鹿坡王氏距半里。求其子歸飼以糠糟。每食竟。即掉尾返故處。嘔以哺母。至暮復然。雖風雨不輟。時有詩人爲賦「孝犬歌」。歌曰。「慈烏返哺古所稱。不聞乳犬能效顰。鹿坡王氏世吉人。乞得乳犬於良鄰。良鄰家貧並乏食。母犬長饑柴骨立。乳犬食竟掉尾歸。嘔食喂母使母肥。朝餐歸嘔暮復續。獸纇之中穎考叔。紛紛養志多缺如。愧殺四足之韓盧。」

孝犬嚙虎

村民趙五。其家犬生子方兩月。隨母行。母爲虎噬。五呼鄰衆。持矛逐之。稚犬奔銜虎尾。虎帶之走。爲棘刺挂。骨皮毛殆盡。終不肯脫虎因繫累稍遲。追及。斃刀下。

慈犬悲烈

弋陽方家墩吳某犬生數子。令其僕攜溺諸河。僕私烹之。犬躡僕後。目睹其狀。號叫酸悲。以頭觸柱而死。村婦曰「彼犬也。而猶愛其子。況於人乎。」

節犬絕食

休寧孫氏業質肆碾坊于如皋垂二百餘年。丁繁產析。質肆前歇。繼及碾坊。民國十一年八月二日。以境迫將房屋售于沙翰林家。家一黃犬。肥有力。守夜夙勤。畜之十年矣。次日忽不食不吠。庖人見飼器中料不少缺。疑偶然。越日如故。疑犬病。而察其行動不病。乃伺犬臥處移器就之。不食如故。疑病。呼之不顧。越十餘日竟死。

義犬友愛

建甯府志載。咸溪童鏞家畜二犬。一白一花。共出一母。狡獪解人意。後白者忽盲。不能進牢而食。主家以草籍檐外臥之。花者日銜飯吐而飼之。夜則臥其旁。及白者死。主人埋之山麓。犬乃朝夕往繞數匝。若拜泣狀。且臥墓旁。移時始返。犬乎犬乎。乃孝友若此乎。

義犬存嬰（一）

福建納溪縣。有兄弟二人。家素封。兄歿無子。嫂有遺腹。弟恐其生兒分產。密囑收生嫗。產時如女也則任之。若男也則斃之。迨產乃一男。小兒落地不哭。嫗謬言已死。婦不察。遂瘞後園中。彌月後。婦將詣母家。忽一牝犬銜其裙不放。驅之不去。婦異之。隨犬行。犬至倉板下。銜一小兒出。仍活。婦疑卽已兒。急令人往視瘞兒屍處。已挖。成。洞。婦。知。犬。所。爲。攜兒歸。夫弟控于官。謂嫂抱他人子爲己子。官傳婦攜兒訊之。犬亦隨往到堂臥于案旁。兒即就犬食乳。官徵其異。察其情。命婦攜兒歸。使鼓樂送犬返。書一牌號曰：「義犬」而置其夫弟于法。此淸道光五年事。

義犬存嬰（二）

廣東南海大瀝鎭白界鄉有許鈞者。家頗小康。惟四十無兒。乃于前年納一妾。不料今春三月。許遽病沒。遺一妻一妾。妾則已妊三四月矣。咸冀其生一子。藉以延嗣。但鈞弟湘。乃村中一無賴。平日納交下流。無所不爲。自見其兄死後。屢向其嫂稱貸。前後不下數百金。迨嫂見其貪得無厭。不得不加拒絕。詎湘懷恨于心。頗有侵產之意。顧兄妾有孕。深恐將來生男。則遺產絕望。爰買通穩婆。囑產時斃之。免留後患。迨分娩。生一男。穩婆用力掐死。僞云「生下即死」。許家無法。命傭將孩用籮載出掩埋。因黑夜無可動工。棄之荒野而回。詎許鈞在日。曾蓄一犬。極靈敏。許鈞彌留時。囑家人善視之。當傭工將孩屍移出時。犬忽尾隨其後。傭回。犬仍守之。至明晨。犬奔回。向許鈞妻狂吠。時許妻適在梳頭。未解其意。不之理。犬乃突前。啣許妻手中之木梳而去。許妻握髮而追。犬且走且顧。許妻自念身爲婦流。在街追逐。未免不雅。乃托鄰人代追。犬遂直向荒野奔去。立于籮側。對鄰人狺狺而吠。鄰人奇之。近前逼視。見籮中小孩呱呱。有啼泣聲。料是昨夜許家之孩。乃急回報告。共往抱回。既至家。細驗孩身。見頸項指痕宛然。乃傳訊穩婆。始知湘所指使。當時族中紳耆。頗欲湘問罪。惟許妻妾見兒生還。不欲深究。

乃罷。鄰近傳聞。咸以「義犬」目之。若湘者薄于倫理。誠不如此犬也。

義犬救主（一）

諫議劉超謫江州。挈二僕同行。畜犬亦隨之。僕思家欲歸。方至州。紿超曰「外邊傳有密詔。不全諫議命。奈家屬何」。超皇遽曰「爾等可爲我設饌」。待食畢。即進毒。自甘死。冀全家屬。饌至。超分食與犬曰「我今死。爾將安依」。犬獰吼。不食。突入廚。及堂。嚙二僕。僕死。超免於毒。數日赦還京。（僕思殺主。而犬能救主。然則人當患難時。與其挈僕。）毋寧挈犬也。

義犬救主（二）

會稽張然作商於外。其妻與奴私。先是然養一狗。名烏龍。常以自隨。及歸。奴欲殺然。盛作飲食。妻語然曰「與君別離。君可彊食」

奴已拔劍。須其食畢。卽發矣。然涕泣不能食。以食投狗。祝曰「養汝多年。吾將死。汝能救我否。」狗亦不食。瞪目視奴。然大呼曰「烏龍」狗應聲咋奴。奴失劍而倒。狗咋其陰。然以劍殺奴。以妻詣官殺之。

義犬救主（三）

有士人某。性慈。其親串家犬生四子。以爲不祥。將棄之河。某見而乞歸養之。一日將暮。忽聲如風雨。草木披靡。震撼山谷。遙見大蟒身如車輪。目光閃閃。直趨某。將加吞噬。四犬徑犇。蟒登跳。扼其首競嚙之。蟒死。某無恙。

義犬救主（四）

三國時李信純家養一犬。甚愛之。一日信純飲酒城南。醉臥荒草中。太守出獵。見野草深茂。命縱火焚之。犬口拽信純衣。搖之不醒。旁有一溪。犬乃入水濕身。近信純數步內。將草盡爲浸濕。火遇濕而止。犬數入水。病甚。遂死。信純旁。信純覺而知之。痛哭。負歸。具棺衾以葬。太守聞而義之。名其塚曰：「義犬」。人而忘恩負德。視此不當愧死耶。

義犬救主（五）

順治中。太倉周春陽業販鹽。見縛犬就屠。憐而贖之。馴擾殊甚。每主船歸。聞篙櫓聲。輒跳躍迎接。一日。銜周衣狂走。隨至一潭。則周之子溺焉。犬躍入水。同主人抱之登岸。犬即以身相偎。迨夜半而子醒。犬則冷氣入腹死矣。嗚呼。犬猶知感恩圖報。況於人乎。

義犬捕盜

浙青田縣有李姓者。昆季兩人。伯行賈而仲家讀。伯平居畜一犬。俊物也。寢食與偕。不離形影。歲暮至鄉收賬。得銀幣數百元。途次爲盜屬目。潛尾之。而伯不知也。及夜。止宿逆旅。盜亦假其鄰室以居。侵曉。遄征。盜殺伯于荒野。而攫其金以去。家人待伯不歸。偵騎四去。得其屍于田野中。身被重創。血痕猶濡。尤奇者。屍旁一犬臥焉。見偵者至。人立而號。俄而警耗紛傳。觀者大集。邑令聞報。亦呵導而至。此犬更狺狺不已。令戲語犬。若知盜窟。盍導役往捕。犬聞語。似解人意。乃令役隨之。犬迤邐曲折里許。達一爽塏之居。甲第赫然。乃某紳之菟裘也。方共叱犬之妄。而朱門啓處。一服裝如工人者。于于自內出。犬見之。頻搖其尾。旋見此人休于宅旁一草舍之內。犬乃奔突而前。力囓其衣。目光如炬。吠聲如豹。羣知有異。執此人而入舍窮搜。得血衣一襲。凶器若干具。並銀幣纍纍然。室中先有二人在。相其貌。亦非善類。乃共繫而置諸官。一訊而服。犬隨衆至堂上。覩案情大白。搖頭擺尾。長號數聲。以鳴得意。始從容隨仲歸。

義犬報恩（一）

清康熙元年。吳江平望鎮有皖商。見一店家縛犬欲烹。商以銀四錢買放。任其所之。不意此犬隨舟而行。至僻靜處。有盜數人。沉舟子于河。欲殺商。商求全屍。乃以叉袋倒置商於內。結口沉之。盜去。犬見有後舟來。如泣如訴。啼號不止。犬又入水。銜袋稍起。舟人羣挈之。解開救甦。商言其故。亟控于官。先擒店主人。物色得盜。即賣犬主人也。犬又隨商至公堂。若爲質證者。然盜皆梟斬。

義犬報恩（二）

吳江南倉橋世宦沈氏有賬船。命僕輩詣鄉索租。一徽商附舟。見屠者縛一犬將殺。商即解皮箱銀贖之。不覺露白。沈僕遂縛商入大麻袋沉之河底。船徑去矣。所放犬呻吟河岸。乃退縮數十步。奮身躍入中流。銜袋一拖。即奔上岸。如是者數次。袋漸近岸。往來舟子見之駭絕。以篙一探。即得麻袋。見內有人。爲解放救醒。袋上有沈府二字。人皆知爲沈宦家物。由是引商牽犬攜袋獻之沈府主人。命藏之密室。及帳船歸。點麻袋。獨一船少一袋。主命閉宅門。呼商與犬出。同謀六人皆伏辜。乃鳴官。釘之板門活焚焉。

此則與上則地點與情節相似。或是一事。

義犬報恩（三）

桐鄉烏鎮人家畜一犬。每夜必涉水至河南人家守夜。一日主人呼犬責之曰：「我食汝而爲他家守夜。明日必覓殺犬者賣汝矣。」是夜夢見犬曰：「我嘗負他家錢。每夜往守。償還其債。今止欠十三錢。償畢即不渡河。誓報主人大德也。」明日呼犬于前。以十三文繫其頸曰：「昨夢汝云云。今往還之。可免涉水矣。」犬垂首受誡。遂銜往擲其家。即不復夜去。未幾主人他出。更深醉歸。失足魚池之內。犬即號呼。銜其衣。拖上池岸。跳至主人家。以首撞門。主母驚起。見犬往來池邊。爲指引狀。擕火視之。其夫尚臥池畔未醒也。遂扶入室。至醒。語其故。夫曰：「前夢犬云報我大德。此其是矣。」越數月不戒于火。舉家熟睡。犬又以頭撞門。且撞且吠。夫婦驚起。則火發灶前。將及屋矣。急救得熄。主人因厚養此犬。至死以棺葬焉。清康熙年間事。

義犬報仇（一）

休寧有一人。見兩犬相交。持刀割其陰。牡狗幾斃。牝狗卽躍起齧其人喉嚨。立死。

義犬報仇（二）

齊袁粲因恥事蕭道成。旣遇害。有幼兒方數歲。乳母擕之投粲門生狄靈慶。慶曰：「吾聞出郎君者有厚賞。」乳母呼號曰：「公昔與爾有恩。故冒難歸汝。苟殺郎君以求利。神明有知。行見汝滅門也。」兒竟死。兒存時。常騎一大羝狗戲。死後年餘。忽有狗走入靈慶家。遇靈慶於庭。卽嚙殺之。幷嚙殺其妻。卽郎君所騎大羝狗也。此忘恩負義之徒。眞狗彘不如矣。狗安得不爲主報仇哉。

義犬告狀（一）

如皋縣苴鎮吉家莊農民馮愛玉蓄一犬。黑而良。甚愛之。出入必隨。玉弟愛國私于其妻劉縊殺玉。深夜埋棄范公提側荒蕩中。犬不見玉。終日皇皇。四竄叫號。忽跡至蕩徘徊土墳處。自是日必至。且嗅且號。旬餘爬土成穴。露衣角。即奔區警局前。晝立而號。夜坐而哭。區員心動。爲令巡長及探役隨犬往。啓視識爲玉尸。時向夕。返道經馮家。偵聽男女嬉笑聲。款扉入。拘玉妻與弟至局。報縣驗鞫得實。治如法。此民國十三年八月二十九日事。

義犬告狀（二）

河南衛輝陳某家頗富。有一子名錦卿。未婚。陳某婦逝。納田氏女爲繼室。錦卿倔强。不禮也。陳死。田氏與比鄰一裱匠通。有一小門。通陳家庖室。陳倉暗渡。視爲終南捷徑。錦卿時時注意偵伺。希破其奸。田深忌之。某夜。月黑星高。裱匠潛啓小門。摸索而進。入田氏臥室。錦卿伏身暗處。匠之行動。悉被睹及。尾其後。將掩而逮之。田氏見狀。老羞成怒。乘錦卿不備。突前扼其喉。且呼匠曰：「若速來。毋怯。今日非魚死。即網破也。」匠趨奪錦卿之兩手。錦卿氣塞而斃。乃與匠商埋尸滅跡。計匠曰：「盍埋諸我舖中之裱案下。可保永不發覺也。」田氏然之。合力舁尸由小門達裱舖。移去裱案。埋訖。仍將裱案置原處。果無人知。數日後。揚言錦卿失踪。且遣人四出探詢。而人亦以錦卿憤恨家庭曖昧而走。不虞田氏置于死地。耆初陳某在日。畜一犬。肇事之夜。犬曾在側。汪汪吠不已。及埋尸滅跡。犬不離案下。以足爬土。匠每叱去之。適該邑新任縣長某。

下車伊始。慕賢吏私訪之遺風。恆昏夜往行街衢間。行徑裱鋪前。忽見一犬人立而吠。縣長行過。犬隨之不捨。返顧則犬又人立吠。聲若甚哀者。大疑。折回至裱鋪前。則門已閉。次日來察。初無異跡。正狐疑間。前犬忽至。問之。點首。然後至案下。以兩足爬土不已。裱匠方在裱糊。叱犬出。不去。縣長察案下土色。恍然大悟。知此中必有冤情。因回署携警士來。匠駭甚。及詢以案下土中。埋有何物。匠色變。以爲案破。噤不聲。縣長益疑。命警士移案發掘。得一男屍。即拘匠回署。略加鞫訊。盡吐其情。復拘田氏歸案。擬罪。事乃大白。嗚呼。世風日下。人有媿此犬者。

駿犬通郵

陸機有駿犬名黃耳。甚愛之。既而羇寓京師。久無家問。笑語犬曰：

「我家絕無書信。汝能齎書取消息不。」犬搖尾作聲。機乃爲書。以竹筩盛之而繫其頸。犬尋路南走。遂至其家。得報還洛。其後因以爲常。晉書

犬作人言

唐史宗楚客貪惏荒淫。有狗戴楚客冠。如人坐立。楚客曰：「吾妖也。犯分應殺。」狗作人言曰：「公人妖也。犯分亦當死。」尋伏誅。

（二）賢羊類

孝羊衞母

邠州屠者安某家有牝羊幷羔。一日欲刲母羊。縛架上。其羔忽向安跪泣。安驚異。遂置刀於地。喚人觀看。及迴。失刀。尋之乃羔銜置牆下。而臥其上。安頓悟。解下母羊。同羔送寺放生。

慈羊悲羔

宋眞宗祀汾陰日見一羊自擲道左怪而問之左右對曰「今日尙膳殺其羔」眞宗慘然不樂自是不許殺羊羔

慈羊戀羔

白龜年得異書能辨禽言獸語一日過潞州太守延與坐談適吏卒牽羊三十餘過庭下中一羊鞭不肯行且悲鳴守曰「羊有說乎」龜年曰「羊言腹中有羔將產俟產訖甘就死」守乃留羊不殺果生二羔

讀此可見物之臨死哀鳴者皆訴冤說痛向人求救耳乃人置若罔聞宰殺如故及至就死之時不覺音愈厲而聲愈猛者其怨毒可知也人羊反覆冤對相尋今生之事汝爲政他生之事

羊爲政。將奈何。

靈羊乞命

韓忠獻公判相州時。庖人驅羊欲殺之。內一羊奔公前。跪鳴。公曰：「非乞命耶。」羊伏若謝狀。公卽親書一牌曰：「長生羊」繫于頸。令不殺。後宴客不用羊。

(三) 賢牛類

孝牛衞母 (一)

雲南安寧州趙姓。一母牛既縛。入室取桶。其犢在旁。將刀銜入石罅。屠覔刀不得。鄰人告其故。屠不信。取刀置原處。隔窗視之。果復然。趙大悲悔。遂入華山爲道士。

孝牛銜母（二）

淨業禪師。俗姓朱名大興。好宰牛。一日繫牸牛將屠殺。其子牛見之。啣刀跪泣。大興惻然釋之。遂削髮爲僧。號淨業。得證佛果。年九十餘。端坐而逝。

義牛殺賊

明江山縣朱愷。遇村屠尤光宇入廟。朱問何來。云「近買一瘦牛。慮虧本。特來求籤。」問牛何在。云「在廟外。」朱出視之。牛雙膝跪地。淚下如雨。朱惻然心動。問其値。云「七金。」如數付之。尤嫌色低。復索三錢。朱益之。既成。朱乃大書神明放生四字於版。懸牛項。遂解鼻繩。縱牛去。是歲游泮。贅於鄉中王賢家。王固望族也。一日。樽酒間與翁談放牛事。忽蒼頭報門外有牛項懸版。麾之不去朱出認之。果是已所放生者。令引往後圃空房。先是鄉有積賊。渾號「一人獼猴」者。素稔王家。因窺女妝豐。夜傍牛住空房。穴牆而進。徑至朱房。囊捲衣飾。將出。牛突入。闖倒奩案。聲甚厲。朱驚醒。大呼有賊。盡室亦驚呼。賊懼。趨牛腹下。過。牛怒。舉蹄絆囊。時呼聲又急。賊棄囊而遁。王翁視囊物無恙。甚德牛。繩鼻住牛空房。由是翁家永戒不食牛肉。已而兩夕。賊復至。破後圃扉。見牛若怒狀。因前被牛敗。隨牽牛出。拋所懸版。售屠獲四金。適朱代翁收債經屠門。瞥見所放牛。叩其。出屠以實告。牛向朱跪泣如前。朱又買之。另懸一版。大書雷電放生四字。復解繩縱牛去。越數載。館古田富宅鍾寬家。近村有盜。鍾甚恐。朱代畫策。繕高垣以備。忽小童報來一牛。頭懸版。人立館外。朱瞿然曰：「是吾放生牛也。素靈警。盜將至矣。

」遂與鍾。述翁家禦盜事。迨三日。盜果至。持刀放火。鍾梯罌之。火光中。睹牛怒吽。衝擊如飛。觝觸披靡。盜竄。牛僨死。旁橫二屍。燭之尤光宇人。獮猴也。送縣捕餘黨。盜悉平。鍾德牛。瘞之。碣表「義牛墓。」由是鍾家。永戒不食牛。未幾歲值大比。朱赴秋闈。榜落歸安令某房閱朱卷不愜意。置之。夢牛跪地。且哭且求。覺而覆閱。文殊不佳。曰：「是必有陰德。」強薦之。竟中。揭曉。謁房師。師問何陰德朱曰：「無之。」再問。朱述近年放牛事。師歎異。因告前夢。及聯捷南宮。房師亦有異兆。選授商邱令。有政聲。嚴禁屠牛。備示所放。義牛顛末。婉勸部民。民多化之。後擢顯秩。乞歸養。母享年九十一。朱年九十六。子二。俱登仕。至今子姓蕃衍焉。

義牛鬬虎

天長縣民戴某朝出。其妻牧牛於埜。犬隨之。俄入草莽中不出。戴妻牽牛尋之。未百步見虎據犬而食。虎見人至。棄犬而搏人。牛見主有難。忿然而前。虎乃釋人而應牛。互相鬪不踰時。虎負。牛勝。人獲免。牧監奏聞朝廷。賜一牛代耕。前牛待其自終。

義牛鬪盜

北平河間東四十里。有農夫于某家小康。一夕于外出。刼盜多人。從屋簷下揮巨斧破雙扉。家中婦女胆弱。伏地戰栗。聽盜所爲。忽所畜二牛怒吼。躍入奮角與盜鬪。梃刃交下。牛鬪愈力。盜竟負傷。狼狽逃去。蓋癸亥河間大荒。畜牛者多鬻于屠市。是二牛至屠門。哀鳴伏地不肯前。于見而心動。解衣質錢贖之。忍凍而歸。牛之効死固宜。惟盜在內室。牛在外厩。牛何以知有盜。且牛非矯捷之物。

外扉堅固。何以能一躍踰牆。此必有使之者矣。非鬼神之力而誰爲之。

(四) 賢馬驢類

義馬護主

張公元生嘗見一西客。以驢馬負運皮貨。內一馬脊背破爛。血肉淋漓。臥不起。客鞭之數百。馬輾轉於地。終不能起立。公惻然曰：「是馬想不能負運。何苦加鞭。」客曰：「不如此。然則棄之乎。」公曰：「何不賣去。」曰：「元黃如是。其誰肯受。」公問索價幾何。曰：「昔以三十金買得。今惟求一半足矣。」公如數與之。客另僱馬負貨去。是時人皆笑公愚。且謂馬必不起。公試牽之。馬乃勉強支持起。遂牽至家。調養月餘。得愈後。肥健而馴。從不驚蹶。大稱公意。一日騎至親友家。赴宴歸。公因過醉。行不數里。已在馬背上睡熟矣。路經山麓。旁臨深淵。崎嶇難行。馬至此不前。而公睡如故。馬大嘶。公亦不醒。尋日已西沈。馬長嘶不輟。村人聞馬聲有異。覘之。乃公也。急喚醒。爲公訝曰：「馬若冒險前行。禍必不測。馬誠不負余哉。」後馬死。公泣而埋之。

伏櫪誰憐縷喘存。俯鞍沈醉怯黃昏。青山埋骨頻揮淚。何日駑駘再報恩。　徐太史詩

義馬殺賊

明王禎爲夔州通判。流賊劫巫山。督盜同知王某怯不救。禎代勒王部民兵擊賊。被殺。自死所至府。三百餘里。所乘馬奔歸。血淋漓

毛鬣赤。衆知禎死。往覓屍。面如生。子廣鬻馬爲歸資。王同知得馬不償直。櫬既行。馬夜半哀鳴。同知起視之。馬驟前嚙項。擣其胸。翼日。嘔血死。人稱爲「義馬」

義驢戀主

張鶴洲嘗乘一驢。甚愛之。康熙甲辰。鶴洲以科場事下刑部。饘粥不繼。乃以驢抵逋於人。一日過市。酸嘶悲鳴。墮其新主而逸。歸張邸。新主稍近之。輒踶齧不已。嗚呼。此驢勝華歆賈充褚淵之徒多矣。

義驢避盜

昔有旗牌官。自言能知三世事。前世爲驢。嘗馱一客。負囊數百金。遇盜追之。自念客若被劫。益增吾罪。因奮力過河。得脫。驢竟溺死

（五）賢猴類

慈猴戀子（一）

桓溫入蜀。至三峽中。有得猿子者。其母緣岸哀號。行百餘里不去。遂跳上船。撫其子。一號氣絕。剖視其腸。皆寸斷。溫怒黜其人。

慈猴戀子（二）

蜀車騎將軍鄧芝征涪陵。見玄猿。射中之。猿拔箭。卷木葉。塞其創。復哺其雛。哀鳴而絕。芝嘆曰：「我違物性。其將死矣。」俄而卒。

慈猴戀子（三）

東輿人莫大郎入山。得猿子。將歸。猿母自後逐至家。莫縛猿子於庭中樹上以示之。其母但搏頰向人哀乞。惟口不能言耳。此人終竟擊殺之。猿。母。悲。喚。自。擲。而。死。破腹視之。腸皆寸斷。未半年。疫。起。遂滅門焉。

慈猴戀子（四）

彭某善弩。入山見隔溪一老猴。方乳兒。發弩射之。中傷其臂。猴度不。能。支。遂。抱。其。子。將。乳。飽。食。之。猶。摘。木。葉。數。片。盛。餘。乳。置。子。旁。聲嗚。嗚。然。若。教。子。取。食。狀。大。號。而。氣。絕。諸。子。環。視。亦嗚嗚號跳不已。摘葉盛乳。痛心之極。因知人於臨死時。顧幼兒弱女而垂淚者。亦同此悲痛也。人各有子。可不致思乎。

（六）賢鹿類

慈鹿傷麛

許眞君少時好畋獵。一日射中一鹿。鹿母爲舐瘡痕。良久不活。鹿母亦死。眞君剖其腹視之。腸寸寸斷。蓋爲憐子死悲傷過甚。至於斷腸。眞君大恨悔過。折弓矢入山修道。後證仙品。拔宅飛昇。

慈鹿憐麑

陳惠度於剡山射一孕鹿。既傷。產下小鹿。以舌舐子身。乾而母乃死。惠度見之慘然。遂棄弓矢爲僧。建惠安寺。嵊縣東鹿死處生草。曰「鹿胎草」。

舐兒痛恨徹心頭。禮懺蓮臺悔未休。芳草萋迷埋鹿處。斑斑猶有淚痕流　徐太史詩

(七) 狐猪類

義狐報恩

昔有一僧素無賴。聞黃精能駐年。欲試其驗。置黃精於枯井。誘人入井。覆以磨盤。其人在井。遑迫無計。忽一狐臨井語其人曰：「君無憂。當教汝術。我狐之通天者。穴於塚上。臥其下。目注穴中。久之則飛出。仙經所謂神能飛形者是也。君其注視磨盤之孔乎。吾昔爲獵夫所獲。賴君贖命。故來報恩也。」人用其計。旬餘。從井飛出。僧大喜。以爲黃精之驗。乃別衆負黃精入井。約一月開視。至期視之。死矣。僧蓋不知前人得出者。狐之力也。悲夫。

義猪告狀

鳳陽賈某。販豬爲業。內有一豬。甚馴。似識人意者。甚愛之。作樣豬。每豬結隊行。此豬爲前導。豢養十數年矣。一日至宿州徐溪口憩逆旅主人利其金殺之投尸智井人莫知也鬻豬於屠逸去屠追之値州牧出豬伏輿前啼若有所訴官異之命役隨所往奔至智井側而嗥探之得一尸詰屠曰「不知」問豬所自曰「買之某店者」往喚以久出告豬突入其室嚙店主人不釋捕至一訊而服豬送廟日給粟升許牧陞任去新任者不復給僧憂食乏呼豬募化豬點首若會意狀懸袋豬項導入市衆皆樂施次日豬即自往已給者不復討未給者守之不去衆曰「此豬道人也」自是風雨無間有以豬道人呼者即搖尾奔至給瓜果不食欲人併入袋中負歸人益奇之垂三十年僧賴以活乾隆戊子豬老斃僧以棺葬廟後表曰『義豬墳』徐太史曰前後報主曲折分明衆以道人目之也豬已人之特筆記斃之年也又匪直以尋常人等

之。

披毛乃以道人呼。跳出刀山快意無。靈蠢原來同佛性。何曾依樣畫葫蘆。徐太史詩

第二章　賢禽

（一）義雞類

義雞撲虎

衢州里胥督賦。一民家貧無供饌。擬烹伏卵母雞。里胥恍惚間見桑下有黃衣人向之乞命。且曰：『自死不足惜。兒女未見天日。』里胥驚惻。視之。屋側一雞伏卵。其家來捉雞。里胥止之。後復至其家。雞領羣雛踴躍里胥前，及去。行數百步。一虎至。忽一雞飛撲虎。

眼里胥得免

義雞護主（一）

嘉善孔某至一親戚家留午餐將殺雞供饌孔力止之繼以誓遂止是夕宿其家正舂米懸石杵于朽梁之上孔臥其下更餘夢中忽有雞來啄其頭驅去復來如是者三孔不勝其擾遂起覓火逐之甫離席而杵墜正在其首臥處孔遂悟雞來報恩也每舉以勸人

義雞護主（二）

湖州孫懷雲偶爲人作媒人以一雞餽焉孫不忍殺命妻留作更雞養之鷄亦朝夕依依似解人意一日酷暑孫方午寢鷄猛啄其臂鳴鬥不止急起逐之忽梁上一物墜於榻視之乃大虺也否則

必被毒齧矣。

鷄作人言

民國以來。哈爾濱埠。有一種錢業小販。不設鋪面。不擇肆店。惟手提一皮包。內儲資金。日游街市。口呼金票換換。隨處交替。道外十六道街東南隅。住戶某。招一換票者至家。議交易。窺其錢囊豐盈。陡起不良。圖財害命。越一日。有警察經其門首。聞內呼『金票換換。』乍以爲：人聲。細聽之。乃一雞鳴。頗驚異。他日過此。復聞之。適某自內出：警曰『爾之雞何以能作人言。的是罕見。可奇貨居之。』某曰：『余亦不知其因。或者此雞獨靈。能作鸚鵡學舌乎。』至晚。某以此雞不祥。即殺烹之。翌晨。警復過此。不聞雞聲。惟見門右有血一點。即問某曰：『何不聞爾雞鳴也。』某曰：『汝不見此血乎吾已烹之矣。」一警深惜之。不禁對血審視。自門而南。星星點點。血連不斷。跟踪尋去。約二里許。有土堤高五六尺。堤前卑下。水草萋萋。獨有一處。似經人挖掘而復踐踏者。然警以指揮刀掘之。土頗鬆。掘約三尺。露一尸。頭部刀傷數處。徧體腥血糊糢。立回署報其官長到場檢驗。遂將某捕去究訊。一審卽服。置之于法。噫其殆死者有靈。埘諸雞而鳴冤乎。

(二)義鵝類

義鵝替死

明末。杭州趙某。性仁慈。歲盡。有以鵝饋者。家人欲殺。趙力止之。元夕復請。又止之。逡巡至端午。家人又請。趙怒。又得不殺。是月十七。

趙病。至六月朔。甚篤。夢至陰府。正欲臨訊。忽見鵝至吐人言。謂趙曰：「汝去。我代汝矣。」趙魂返體而甦。鵝于是日已自撲殺籠內矣。

義鵝報恩

萬曆二年。無錫縣秦貞中年無子。時屆蒲節。家人將宰鵝。貞見羽毛潔白。冠足如硃。偶動慈念。遂不宰。送至北禪寺放生。越三年貞夢鵝來謝曰：「蒙君不殺。在寺聞講誦金剛經。特來報恩。」貞醒。妻腹痛。遂生子。名夢奇。聰明清秀。年十二入泮。

(三) 義雁類

義雁死情 (一)

江北人射一雄雁烹之其雌飛視不去釜蓋一開遂投入釜中同死元好問將二雁同瘞作詩輓之名「雁邱」

義雁死情（二）

梅磵詩話元裕之赴試并州道逢捕雁者獲一雁殺之其脫網者悲鳴不去竟自投于地而死因葬之號曰「雁邱」

義雁死情（三）

鎮江錢參將手下軍士獲一雁籠之舟尾空中有一雁隨舟悲號將登岸籠中雁伸頸向外大呼空中雁忽下二雁以頸相交而死

（四）義鶴類

義鶴啣珠

噲參養母至孝有鶴爲弋人所射參收養療治瘡愈放之後鶴雌雄雙至各啣一明珠以謝參換錢數萬因是致富得備孝養

義鶴戀偶

渚宮故事湘東王修竹林堂大守鄭裒送雌鶴于堂留雄者在宅霜天月夜無日不鳴聞者墮淚忽有野鶴飛赴堂中驅之不去即裒之雄也

(五) 義雀類

義雀銜環

漢楊寶九歲時見華陽山下一黃雀爲鴟鴞搏而墮地復困於蟻寶取置箱中飼以黃花羽成放去後一夕見一黃衣童子向寶拜

謝曰：「我乃西王母使者。往蓬萊。過此遭阨。感君救濟。特具白玉環四枚。相謝。令君子孫四世三公。潔白如此環」。後寶生震。震生秉。秉生賜。生彪。皆爲名卿。

義雀投篦

明章綸景泰間爲儀制郎。以諫易儲。下獄久被囚。虱生於首。奇癢不可忍。思以櫛治之。忽有羣雀共銜一物墜庭中。取視之。乃一新製牙邊篦也。公感神貺。謹珍藏之。又一日大雨。移臥就乾處。方離一牀。地壁轟然倒。不然幾斃於壓。

(六)　義鵲類

義鵲獻墓

武進瞿公素有厚德。曾見一鵲帶箭哀鳴。憫之呼鵲曰：「汝欲拔箭可急下」。鵲果飛至。公拔之。飼數日。縱去。後葬親。得一佳地而難點穴。有羣鵲噪集其上。一鵲啄公衣。復還墓者三。公曰：「若果佳穴再鳴三聲。」鵲遂應聲而鳴。地師審之。與穴法合。遂葬焉。後士達士選同舉鄉榜。子孫日盛。

智鵲告狀

魯山令元汝之公庭判事。胥隸畢集。忽鵲啣草衣墮庭前。元之立命役物色之。果有人脫草衣上樹覆巢取雛。元命笞之。

智鴉告狀

晉京兆尹溫璋置鈴索廳前。使寃訴得以速達。一日獨坐。屢聞鈴聲。跡之無人。如此者三。乃見一鴉飛集其上。璋曰：「是必有人探其雛故來訴耳」一命吏隨鴉所在捕之。其鴉盤旋。引吏至城外樹間。果有人探其雛。倘憩樹下。吏隨拘至。璋以事異於常。重杖之。李斯義曰。鴉固善訴。尹亦神明。想其行縣錄囚。多所平反。可知矣。

公庭兩造判分明。無怪慈鴉愬不平。幾見循良京兆尹。風傳鈴閣徧仁聲。　徐太史詩

（七）雜禽類

鴛鴦多情

北魏史顯祖因田獵。獲鴛鴦一。其偶悲鳴。上下不去。

鸚鵡重情

關中商人得能言鸚鵡於隴山。愛而厚食之。因事下獄。歸時歎恨

不已。鸚鵡曰:『郎在囹圄未逾旬。懊惱如是。我閉籠累年。奈何』商感而放之。後商同伴有過隴西者。鸚鵡必於林間問曰:『郎無恙否。幸寄聲。幸寄聲。』

義燕重情

宋嚴州女王亞三見貓捕燕母。取飯飼三小燕。迨長飛去。是冬亞三死。明春有三燕來。飛繞不休。其母曰:『燕尋亞三否。亞三已死。葬後園中。』三燕輒入園。飛鳴。死於墓上。人有思念舊恩。情義深重。如三燕者乎。觀之慘然知愧。

鷙鷹報仇

徽州府治古木之上有鷹巢。一衛軍探取其子。太守王夢龍方據案視事。鷹忽飛下。攫探巢者之巾以去。太守知其故。杖其卒而逐之。

義鳥酬恩

明永樂間。北京畿下詔賑恤。有趙履乾者。家八口。餓幾死。履乾患疽不能往領賑。忽十餘人提米至。云「公家發賑。聞君病。特代領送至」又貽藥一粒云「吞之疽可愈」言訖盡化鳥飛去。衆駭異。履乾吞藥而愈。蓋數年前履乾糴米道中。見雀一籠。以三升米易放之。故報如此。

義鳥銜泥

孫良嗣。遇禽鳥被獲。輒買縱之。後死。欲葬。貧莫能措。有鳥數百。銜泥疊疊。觀者驚歎。以爲慈感所致。

義鳥銜卷

宜興陸善人所居茂林修竹。百鳥咸集。陸禁人彈射。雨雪嚴寒。散穀林中飼之。順治三年。仇家陷以逆黨。庭訊時。衆詞咸集。繫者纍纍。忽百鳥盈廷。噪聲震天。訊至陸。一鳥飛至案頭。銜其首詞一紙去。羣鳥頓散。問官驚異。刑訊陸之仇人。知其誣。出之。構「義鳥亭」于毗陵城中。以識其異。

第三章　鱗介

（一）義蛇類

義蛇酬恩

某富翁生一子癡騃。翁憂之。有道人謂曰：「此由殺業太重。靈竅不開也。」翁遂戒殺。偶出。勸人放百花蛇一條。夜夢花衣人來謝

曰『承恩相救特來助公子讀書成名』後其子吐黑水數斗穎悟異常登甲榜

義蛇贈方

孫眞人山行見村民擊一青蛇力救之後再過其處一少年馳騎邀之至則一王居有絳服者出謝曰『向小兒化身遊戲幾遇害幸先生救免故遣長兒邀來拜謝』因延入深宮有貴妃携青衣小兒出拜卽青蛇也款留三宿味皆珍饈臨行贈縹緗珠玉無算眞人不受惟求龍宮三十仙方歸傳於世

義蛇吐珠

隋侯往齊國路見一蛇困於砂磧首上出血侯憫之以杖挑放水中後回至其所見蛇啣雙珠向侯吐之而去侯取觀之其珠徑寸

夜放光明。可照百里。故世號「隋侯珠。」

蛇知告狀

明葉宗人為錢塘知縣。嘗祀事。有蛇升階若有所訴。宗人曰：「汝有冤乎。吾為汝理。」蛇即出。遣吏尾之。入餅肆爐下。發之得一屍。蓋肆主殺而瘞之也。遂伏其罪。

（二） 蛙類

青蛙告狀 （一）

明熊鼎為浙江按察使。寧海民陳德仲支解黎異。異妻屢訴。不得直。鼎一日覽牒。有青蛙立案上。鼎曰：「蛙非黎異乎。可止勿動。」蛙果不動。乃逮德仲鞫實。正其罪。

青蛙告狀（二）

蘇州同知王某在句容忽見羣蛙跳躑其前王告曰「果有寃指吾處所」衆蛙遂集一處王命人掘之得一死屍口塞一鞭柄上有脚夫名至丹陽一詢而獲乃一商買蛙放生露白而被脚夫害也立爲抵命吳人因呼「田雞王」焉

（三）黿鼈類

義鼈報恩

程氏夫婦性嗜鼈一日偶得巨鼈囑婢修事時暫出外婢念手所殺鼈不知其幾今此巨鼈心欲釋之吾甘受箠撻耳遂放池中主回索鼈對以走失遂遭痛打後感疫疾將死家人舁至水閣以俟

盡。命。夜。忽。有。物。從。池。中。出。身。負。濕。泥。塗。於。婢。身。熱。得。涼。解。疾。乃。甦。愈。主。怪。不。死。詰。之。具。以。實。對。主。不。信。至。夜。潛。窺。則。向。所。失。鼈。也。闔門。驚。歎。永。不。食。鼈。

義龜報恩

毛寶微時。路遇一人攜一龜。買而放之。後爲將戰敗赴水。覺水中有物承足。遂得不溺。及登岸視之。則所承足者。前所放龜也。

義黿報恩（一）

陸生富於財。家有花園一所。崇臺幽館。靡不備具。臨池有亭曰：「藏春」。一池方圓數畝。遍植芰荷。一日天旱水涸。見一物在泥中蠕蠕而動。視之乃大白黿。生父喜曰：「此異味也。曷烹以供客」。生曰：「此物久育池中。殺之不祥。請宥其命」。父首肯。生命僮放入江中黿回頭顧生。有感謝狀。悠然而逝。生後疽發於背。晝夜呼痛。懨懨一息。至夜半忽有一白衣絳裙美女。叩門而入。至床前謂生曰：「君染此恙。妾心憂如焚。」用手摩其疽。不啻冰雪。頃刻痛止。又於袖中出黑藥一粒。令用清水服之。生疽旋愈。因叩頭謝曰：「已朽之骨。荷蒙上眞救活。裴航之遇雲英。劉阮之入天台。僕何敢萌此念。惟願拜爲門下。聽教誨足矣。」女曰：「不必謝。彼此皆扶持也。吾輩水仙。何能適世間人。君不日得佳婦。卽如妾在房幃。」留詩一章。飄然而去。其詩曰：「妾姓袁兮字綠瑛。藏春亭畔舊知名。月中乞得元霜藥。爲報當年免受烹。」生方悟袁者黿也。乃昔日所救白黿報恩。後娶婦。其面貌如女。喜著白衣。女所云「如侍房幃」之語。誠有自也。陸生救黿。不過一念不忍。原無望報之心。

乃值垂危之際。服元霜而立愈。則雀啣環。蛇報珠。信不誣也。世之烹宰物命者。觀此當猛省。

義黿報恩 (二)

清康熙七年。松江黃浦漁人獲一大黿。有徽商以銀三兩買放之。漁人窺見多銀。夜即刦之。船家及小僮俱被殺死。商乞命。盜縛其手足投浦中。即若有物負之逆流而上。行二十里許。天明有船至。大呼救命。乃巡兵也。見大黿負一人來。撈起問故。其疑盜即漁人。黿即順流下。衆隨之。至買黿所。黿即沒水中。而漁舟尚在分銀。巡兵悉擒之。追出銀四百兩。俱不失。同謀漁人皆斬。無一得脫。

(四) 魚類

義魚報恩（一）

康熙丁丑五月。饒州商人過鄱湖。見漁人得一大魚。重百餘斤。商買而投之湖中。至七月。此商人挾貲歸。夜過湖。遇盜入其舟。移至蘆中。行刼將殺之。忽一大魚。跳入其舟。潑刺不已。盜方驚異。適捕盜船過。欲求火炊飯。見之。獲盜三人。商得不死。魚仍躍入水中。

義魚報恩（二）

李景文常就漁人。貨其所獲。仍放水中。景文素好服食。火煉丹砂。積熱成疾。疽發於背。藥莫能療。昏寐中。似有羣魚。濡沫其毒。清涼快人。遂獲瘥。

慈鱔愛子

學士周豫。嘗烹鱔。見有鞠身向上。頭尾就湯而死。者。剖之。腹有子。

乃知鞠身以護其子也。豫感歎。遂不殺生。

古詩云。君看砧上魚。忍痛不能語。身雖遭寸斬。心猶念男女。此情此景。人特未之知耳。知之豈有不惻然心動者乎。

義鱔報恩

高懷中業鱔麵。日殺鱔數千。一婢憫之。每夜分。竊缸中鱔從後窗投于河。如是積年。一日高店被焚。婢逃出。爲火所傷。困臥河濱。夜深睡去。比醒而火熖盡愈。視之滿處堆汙泥。而地有鱔行迹。始知所放之鱔救之也。高感其義。遂罷業。

慈鯉戀子

宋番城有屆師者。買得魚塘。至冬。築小堰于外。將竭澤取魚。見大鯉越出堰外。復跳入。如是再三。迹其所爲。乃新育小鯉數百尾聚一窟中。不能出。故往來且銜且徙。寧身陷死地而不恤也。屈慨然決堰出之。棄其業。

義鯉報恩

江南諸生某。夜夢環介冑者長跪請曰：「詰朝有難。在公某友家。幸垂憐往救。」生驚寤。亟起造友家。見一奴擔竹籃入。問何物。曰：「市得魚。充早膳耳。」前視則活鯉也。向友白其故。放之江中。踰年。渡揚子江。陡遇狂飆。飄船至山下。石傷船底。瞬息將沈。衆呼號莫措。咸謂無生理矣。頃隨風鼓浪而前。若有物負而行者。水盈舟。行益疾。竟達於岸。回望之。見一巨鯉。搖尾而逝。

螞蟻報恩

胡僖當省試。謀徙僻地。得潘氏園。蟻聚于室。以數十萬計。童子將焚之。傳曰：「以我一夕圖安。傷數十萬命。不忍也。」亟還故居。迨入試。文思窘甚。忽蟻集筆端。陡覺緒思泉湧。一揮而就。遂得薦。

下編　人變動物

一　變犬類

逆婦變犬（一）

浙省黃岩東鄉農民某。性頗孝。母嗜喜食雞蛋。每値五十之日。以蛋二枚。麵一盂。奉母食。以爲常。其婦性悍。待姑虐。育一孩。一日夫有事遠行。頻行。囑妻曰：「今日初五。吾遠出。須傍晚歸。麵蛋在室中。至午宜烹以供母。幸勿誤。」婦曰：「諾。」屆時將孩尿置碗內。上覆以麵蛋。食姑。姑食未至半。臭不可聞。遂置之。天忽陰雲四布。

雷電交馳。霹靂一聲。提婦至簷下震斃。鄰人告其姑。姑奔出門外。哀告于天曰：『吾家窮。惟有一子一媳。一孩。媳死。子無力續娶。孫無人扶養。天寧禍我。我老而聾。願代婦死。』經時。又一霹靂。忽其婦頭。變為狗。漸呻吟。復活如常。立起。轉身入門。乳嬰孩如好人。惟不能言。言如犬吠。至晚。其夫歸未至門。鄰人告以故。某曰：『此逆姑之現報也。』後其婦料理家務。一一如常。並能事姑。惟聞地方有作佛會之處。輒奔至其所。以示報應云。

逆婦變犬（二）

隋大業中。河南婦人厲氏。養姑不孝。姑目盲。婦以蚯蚓作羹食之。姑怪其味。竊藏一臠。示兒。兒見之。驚跳號泣。呼聲動天。將錄婦惡鳴官。俄而雷雨大作。失婦所在。頃之。自空墜地。身上服飾如舊。而頭變爲白狗。夫斥去之。乞食而死。

逆婦變犬（三）

延平杜氏兄弟三人。輪供母膳。子各專農業。既出。三婦輒爭詬其姑。饋餉不給。嘉靖辛卯七月中。白晝霹雷一聲。電光紅紫眩目。三婦皆變畜。一羊一豕一犬。惟首如故。里人聚觀。小兒鞭之以爲戲笑。三畜但垂淚而不能言。踰數年乃死。鄉人畫圖刊譽以爲懲戒。

犯淫變犬

正德間。四明符秀才死後托夢於子云。「生前犯淫律。明日托生作南城謝五郎家狗矣。亟行善事。爲我懺悔」言訖。子思牽其項一卒以白皮蒙其首。悲啼躑躅而去。子驚醒。明日謝氏果生狗。身純白。易之歸家。爲廣作善事。五六年後。狗遂不食而死。

負恩變犬

蘇州吳趨坊施翁散財結客。年逾四十。始生一子。因擕數百金至虎邱。修大士殿。忽聞劍池旁有哭聲。趨視之。乃幼時同硯友桂遷也。翁急相慰問。桂曰：「家貧負勢債。被逼計窮。欲來此畢命耳」翁淒然。即開篋以三百金授之。桂向大士前叩誓曰：「某受施公大恩。今生若不能酬。來世亦作犬馬相報」。泣拜而去。既歸。桂復登門謝。翁念其貧。更以棗園一區授之居。桂產一女。翁復約爲婚姻。未幾。桂於棗樹下掘埋金千餘。即翁之父所藏也。漸致殷富而翁家日替。夫婦相繼歿。子施還孤苦無依。桂聽妻孫氏言。旣諱前負。且圖賴婚。竟飄然徙會稽。還往投之。拒不納。因託伊鄰道及三百金事。桂曰：「借貸必有券。但持券來。吾決不負彼」。還聞之憤泣而歸。越數年。桂以營幹入京。爲詰者所誑。貲已失過半。旅寓無聊。正假寐間。忽至一大宅前。門尚閉。旁有一口。不覺兩手據地而入。見堂上燈炬煇煌。一老人據案坐。卽施翁也。桂慚甚。欲與拱揖兩手伏地不能起。卽百與語。翁亦不答。但叱曰：「畜生當死狂吠何也。」復見施還自內出。桂乃銜衣厭笑謝罪。施還罵曰：「畜生作怪耶。踢之去。」桂闖頻呼畜生。悶甚。俯首行至廚下。見施母坐分肉羹。桂卽左右跳躍。蹲足言曰：「夫人家盡懷舊恨耶。乞賜一臠以充飢。」施母復喚侍婢曰：「畜生嗥嗥可厭。速杖逐之。」桂大驚。奔至後園。見其妻與二子俱在。審視之。皆犬形也。回顧已形亦化爲犬矣。乃大駭。問其妻何至此。妻曰：「汝不記大士前誓語乎。復何言。」於是夫妻父子同遶魚池而走。腹甚餒。見有人糞臭之氣亦不惡。妻與二子先聚啖。已亦垂涎。舐之味覺甘美。但恨其少。忽聞傳呼云：『主人命於諸犬中選一肥壯者烹食。』遂縛其長兒去。哀叫極慘。猛然驚覺。乃一夢也。急束裝歸。抵家至中堂。見旁停兩櫬。几上題二子名。心益悸。趨入臥室。而妻已病危。氣垂絕矣。桂呼之。妻忽睜目作其長子聲曰：『父如何今日方歸。冥王以吾家負施氏恩。父有誓在前。吾兄弟與母三人明早即往施家投犬胎。二牡者即兄弟。一牝而背有瘿者。母也。父以陽算未盡。俟來年八月。亦當作施家犬。以踐前誓。惟妹與施郎合爲夫婦。獨免此難耳。』一言訖。遂絕。桂見言與夢合。驚痛交集。方欲襄殯。而全居火焚。三櫬俱燼。遂攜女至蘇。訪施子消息。猶謂施既赤貧。未知漂泊何所也。及至。則門牆煥整。氣象一新。問諸鄰人。知施還已登第。且已娶里中支參政女。桂羞恨不知所出。覓一舊識人。致悔過求見之意。且欲獻女爲妾。以贖前罪。施不允。懇之再三。始許一見。桂方入。突有三犬從牆竇出。環遶哀吠。其一背上果有瘿。桂知爲妻子也。痛甚。向施泣拜不起。因述前夢與妻臨終之語。且云「今已家破無歸。但願恩人少開一面。納女爲婢。吾亦雜廁僮僕。終身力作。以免犬報足矣」。施見其情詞慘切。勉許之。擇日納其女。桂亦隨居宅旁。是夕夢妻子來辭曰「幸君悔罪。施氏祖先已爲君乞免。吾母子亦得離孽軀矣」。及曉聞三犬夜來俱死。桂踰年無恙。

頑狡變犬

唐蘇成有才幹。但性頑狡。不信爲善。每於古籍中所載佳言美行。必指爲飾說。見人修善果則非笑之。或從旁阻撓。年三十一。貧徹骨。身漸縮小。覓食鄉村。其頭忽變爲犬。數日後。其身亦變。惟手足不變。經歲乃死。

串騙變犬

河南富商翟永順販荳萬石。至蘇州發賣。行主人接待甚慇。邀清客花中鳳陪其閒遊敘話。翟係北人。性情直率。一見中鳳能言笑。善奉承。吹笛唱曲。引嫖帮賭。無不通曉。遂成莫逆。時刻不離。一日觀女優演戲。翟鼓掌稱妙。中鳳曰：「此殘花敗柳耳。何足賞鑑。城西有霍大官人。曾任顯職。家多聲伎。論貌則閉月羞花。論歌則繞樑裂石。尊兄若見。則視此輩如土壤矣。」翟懇其先容。中鳳別去。三日方來。翟問所事就否。答曰：「我敬達尊兄之意。彼已喜允。明日當同往也。」次早翟櫛沐更華服。備盛禮。使中鳳引路。至一甲第。輝煌赫弈。數青衣守門。見中鳳皆立起曰：「主人有命。客來即延入。無用通報。」中鳳引翟。轉無數雕欄曲檻。方至大廳。湘簾綉幙。玉爐金鼎。擺設精工。坐半晌。方見主人扶小童出。曰：「老夫藏拙家居。久不見客。因中鳳談及高雅。是以願交。」翟謙謝。呈上禮物。主人笑顧左右收去。似不甚經意。須臾酒至。命家伎侑觴。有四女出拜。一吹笛。一吹笙。一彈絃。一鼓板。皆殊色也。輪遞而唱。音如新鶯百轉。嚦嚦動人。掌燈時。主人留宿。翟亦不願去。酒闌。主人先歸寢。四鬟亦隨進。小童引客至西園安歇。翟因酒醉難寐。呼中鳳閒話。遍覓不見。又聞附近有骰子聲。啓戶出視。見一小門半掩。內有曲房三間。花木掩映。數女在內呼盧。皆貌若天仙。中鳳亦在其中。翟不禁心癢。呼中鳳至曰：「好快樂也。」答曰：「幸主人安寢尊兄若不惜鈔。入局亦無不可。』翟曰:『但得親近神仙。傾家不惜也。』中鳳邀翟入。衆女亦不羞拒。遂共賭。不一時。衆女皆負一小伎年可十六七。面紅腮赤。曰:『我姊妹今日大敗。豈容不復。』急入內取一玉瓶出。曰:『只此孤注。若再贏去。吾便服矣。』衆女駭然曰:『此主翁愛物。爾何敢擅動。』翟原無貪財之意。見美人發急。情愿認輸。一擲而敗。衆女閧然大笑。將瓶內之物。傾出乃祖母綠猫睛石明珠等類。約值五千金。中鳳估計。除還所贏。該找銀四千兩。立勒翟寫會票。至行中交割。翟慨然無難色。次早主人推病不見客。翟回至行中。清負畢。中鳳又勾往四處嫖賭。萬金資本銷耗俱盡。只得垂翅而歸。次年復裝貨至蘇州。訪中鳳。已不知去所。問霍大官。亦邈無其人。始知光棍設局夥騙。付之一嘆而已。後歸家。夢。行。主。衣。黑。霍。大。官。衣。白。中。鳳。衣。斑。向。翟。叩。曰：『耗。君。貨。財。今。來。還。報。矣。』一時翟家母犬生三子。正。一。白。一。黑。一。斑。乃。三。人。所。變。也。

作惡變犬

明李有容太原人。任意作惡。有勸以爲善者。則反言以拒之曰：「我惟恐人說我在善流一邊。」有阻其爲惡者。則反言以抵之曰：「我趕早行些惡事。日後見閻王。還壯膽些。」未幾口生一疔死。三日復甦。語妻子曰：『閻王因我行惡。罰我一世變狗。再世變馬。今。生。東。門。外。某。家。乃。一。白。項。花。狗。汝等可取我歸。』其子尋至某家。果生一白項花狗。見子至。眼流淚。口牽衣。因抱回家養大。送至法華寺。每高僧談經時。此犬即來若聽者然。

黜善變犬

宋崇甯中。豐相之居建州。有道士來謁。熟視之。乃京師上淸儲祥宮住持也。問何事。曰：「我已非人。玆有所禱。明日將生公家爲犬。願善視我」。豐驚曰：「君有道行。何至此」。對曰：「某初修道戒。本無隱惡。只因見朝廷黜蘇氏學。遂請磨去儲祥宮蘇氏所撰碑文。坐是受譴」。豐曰：「上帝亦重蘇公文乎」。曰：「不專在是。謂不宜迎合時相風旨耳。」言訖。失所在。次日犬果生子。其一身黑而頭黃。疑是黃冠云。

(二) 變羊類

殺妾變羊

劉道原爲蓬溪令。解官。宿秦氏家。一婦泣訴曰:「吾乃秦之妻也。曾捶殺一妾。冥官處我以死。仍罰爲羊。現在欄中。明日將殺以享君。死固不惜。但腹中有羔。若因吾而死。則吾罪愈重耳。」劉待旦言之。則已宰矣。舉家大慟。納羔於腹而葬之。

竊錢變羊（一）

唐長安風俗。每過元日。遞相設宴。有筆賈趙大。次當設席。其日賓至。見其碓上有汲水繩縛一童女。年可十三四。身穿青裙白衫。泣告客曰:「吾乃主人女也。往年盜父母百錢。欲買脂粉。未及而死。其錢現在廚房西北隅壁孔內。今罰我爲羊。」言訖。客諦視之。乃一青羊而白頭者也。驚告主人。主人問其形貌。宛如亡女。死二年矣。急索廚中錢。猶在焉。於是送羊於僧舍。而合門齋戒。【按】錢猶具在。而苦報已償。不幾枉自受罪乎。萬般將不去。唯有業隨身。尤信。

竊錢變羊（二）

唐貞觀中。京兆韋慶植有女早亡。韋夫婦甚痛惜之。後二年。韋欲宴客。買得一羊。其夜韋妻夢亡女著青裙白衫。頭簪雙玉釵泣告曰：「兒在生日嘗私用父母錢財。今作羊身來償父母。明旦當殺。願垂哀救」。母驚寤。自往觀羊。見羊半體皆青。項膊獨白。頭上有白毛兩點。宛如釵狀。即止家人勿殺。而慶植尚未知也。適賓至索饌甚急。大怒廚夫。廚夫畏罪。遂取殺之。既而座客皆不食。慶植問故。客曰：「頃所殺羊。遙望乃少年女子耳」。入而詢妻。乃知其故。韋大悲慟。發病而亡。【按】此事與筆賈之女相類同一盜親之錢同。一作羊示罰。然彼則獲免於死。此獨終至於殺者。非有幸有不幸也。一則所盜之錢未用。一則所盜之錢既用也。

貪食變羊

佛世有一老人。其家頗富。忽思肉食。指田頭樹。告其子曰。「吾家薄有產業。由此樹神恩福所致。可於羣羊中殺一以祭。」諸子從之。尋卽殺羊。禱於此樹。復於樹下立一神祠。其後父死。卽生己家羣羊之中。時值諸子欲祀樹神。執而將殺。羊忽自言。此樹無神。我於往日思食肉故。妄使汝祀。與汝同食。不謂償債。我獨先之。

多殺變羊

烏戍朱三。以宰羊爲業。後漸面似羊形。每日市罷。仰臥櫈上。喜以尖刀剔牙。如是數年。一日正剔牙時。風忽打下牕檽。刀透咽喉而死。

姦淫變羊

某寺僧。性最淫。寺前後貧家婦。稍有色者。百計誘之。一日晚。攜少婦入寺。方進山門。見伽藍以杵擊其首者二。卽便昏倒。耳中猶聞伽藍叱之。云「汝衣食十方。惟滋淫惡。當入畜類」僧臥病數日。杵所擊處。卽生二角。伏地作羊鳴數聲而死。

(三)　變豬類

逆婦變豬 (一)

常熟東南任陽鄉。有不孝婦。欲殺其姑者。置毒藥于餅中。而自往他所避之。其姑將食。忽有一乞人來求其餅。姑初不肯與乞人袖中出一綠綾衫。與之換去。及婦歸家。姑喜以衫示婦。婦又奪之。初着身。忽仆地。姑急扶之。不能起。倐變成豬。鄰人咸集視之。婦猶作人語曰：「我本應天誅。以今生無他罪過。但變豬以示人耳」。言訖。遂成豬叫。獨其前脚猶似手也。

逆婦變豬（二）

浙甯郡東鄉。有張某者。家頗小康。其母年逾古稀。張於平日善事之。母病。囑張曰：「頃忽夢之冥司。謂余青年時忤逆翁姑。病歿後。罰在鄰村蔡姓家投生爲畜。某日其家母彘所產白蹄是也」。言畢而逝。張爲號痛。殯殮之。至期。前往探問。果如母歿時所言。張請購白蹄者歸。蔡得其情。視若奇貨。張願以百金爲酬。蔡始許諾。乃取以還家。善飼之。三日而斃。

殺降變猪

蘇州劉玉受明萬曆壬子秋。為貴州房考官。道經湖廣。夢一長面偉人告曰「吾宋將曹翰也。攻江州不下。怒屠其城。因此殺業。世世為豬。以償所殺。往歲曾為豬。於君之佃戶家。蒙君憐而活之。今君泊舟之所。卽我將來被殺處。明日第一受宰者。卽我也。有緣相遇。幸垂哀救。」劉驚覺。窺泊舟之所。果屠門也。頃之。擡出一豬。呼聲動地。劉遂贖之。【按】當時將此豬放之閶門放生堂中。呼曹翰卽應。萬人目擊。

多殺變猪（一）

明正德中。南京孝廉某家巨富。多殺生。常以三四豬宴客。一夕夢神謂曰「汝殺生無算。當先變為豬。卒不戒。越半載。暴死。既殮。棺中有聲啓視之已化爲豬矣。當時江南人士競傳之。

多殺變豬（二）

無錫新安鄉有張屠宰割甚多。挑售村落。獲利倍於他屠。家漸裕。一日提豕欄中豕身人首面如其父急呼其妻視之曰「眞吾翁也」相持慟哭豕復原形而死。置棺埋之。由是改業不售豕肉矣。

構陷變豬

清康熙丁卯舉人邵某者平湖人也。邑中富人陸米虫因善販糴起家得名米虫死其子卽名小米虫。年未冠有親楊某性貪狡爲經理其家悉力侵騙。歲獲金數百。未幾小米虫聘於劉氏。劉翁富而老成邀壻先過門。密告以楊之欺。剋使遠之。自此小米虫有事。一決於翁。楊銜恨。思欲離絕其婚。素服邵某居鄉武斷多智術挾二百金求計邵。邵遂密爲布置。不數日。通衢遍貼匿名帖。言劉女與僕通姦。有娠。請某醫墮胎。小米虫見之大怒。訟於令。求退婚。令拘僕。僕果俊。訊之不承。醫供曰：「某在劉家診視有年。其女索墮胎藥。是實。但不知姦夫何人。」令不察。遽判離。其女投繯者數矣。以翁曲慰得生。楊遂爲小米虫擇配完姻。彌月後。旋聞新婦有私產兒已數歲。公然畜於母家。鄰里皆知。恚極。不久得病死。而米虫無後矣。未越月。楊在通衢大言曰：「此事我實造端。當卽赴質。」自批其頰不止。抵家吐血斗許死。是時邵方入秋闈。頗得意。試畢歸。忽嘔血囈語曰：「我以先世與前生功德。今歲登科。前程尚遠。以二百金之賄。爲楊某畫計。離人婚。絕人嗣。雖中式不及見矣。」前放榜之夕死。比明報至。目尚視。家人以泥金示之。遂瞑。及卒妻子同見夢云「我爲米虫一案刪盡功名祿壽尚不蔽辜罰在某處某屠家爲豕豕有五尾牛白者我也」次日其子走訪豕與夢符買而豢之僧寺老嫗泄其事觀者日如堵墻呼之曰「邵舉人」妻子恥之一夕徙去不知所終

奸臣變豬

聊齋志異青州馮中堂家屠豕燖去毛垢肉內有字云「秦檜七世身賊害忠良世世爲豕」可以鑒矣

侵漁變豬

周登爲縣吏每事漁食平人却自言一塵不染動云「若有侵漁行同狗彘」及病作彘聲累日而斃人以爲自咒所致

竊錢變豬

隋大業八年。宜州皇甫遷曾竊母錢六十文。母索錢不得。舉家盡遭鞭撻。明年遷亡。託胎其家豬腹中。豬稍長。賣於遠村社主家。得錢六百文。是夜其妻方睡。即夢豬云。「吾是汝夫。爲取母錢六十。累合家拷打。罰爲豬。不意被汝賣去。幸速贖我。稍遲則被宰矣。」妻覺。猶不甚信。少頃睡去。復夢如初。其情轉迫。乃披衣叩姑門。而姑坐起已久。各述所夢。而同時。已半夜。而社主尙遠三十里。其母恐不肯贖。乃以錢一千二百文。命長男幷遷之子同往。社主因社期已迫。堅拒不允。乘夜仰有勢力者。强贖之。社主乃放豬歸。道經曠野。兒語豬云。「審是吾弟。可先行。」豬卽先行。到家。其後鄰里共爲嘲笑。子女恥之。乃私告曰。「吾父如此。累兒女何以見人。父向與徐某甚厚。盍往其家。吾等送食可也。」豬聞之。涕淚交流。搖

尾竟往徐家相去四十里大業十一年豬遂死於其處【按】改頭換面一家俱不識矣所以六親畢竟是空

變豬償債（一）

方大者家貧。善宰殺。父歿已數載。母子相依。一日五鼓。母夢驚醒。呼子云。「我夢今日有人喚宰豬。汝可用利刀割之。勿俾其受苦也。宰畢即歸。切勿飲其熱血酒。此豬乃前世欠其銀十兩。今來還債。求速死故耳。」天將曉。果有表弟某。約宰豬。方懷利刀往。水漿俱備。操刀一割即行。姑母留飲血酒。方不可。姑母表弟強拉之。方曰：「奉母命不可飲其血。」姑問故。方曰：「母夢此豬昔欠姑債銀十兩。今來還求速死。母哀其苦。故以此命。余不敢違。」姑曰：「異哉斯夢。回憶數十年前。曾借銀十兩者乃爾父也。姑丈在世已說明郎舅至親。不用償還。今乃何故如此償債。早若言此。當不加宰」姑姪相抱大慟。方歸。泣向母述前說。母泣曰：「誠哉。我夜夢爾父囑我勿先言。恐不加宰。雖妹丈有不索之言。奈契約未焚。現封酒罎之上。故只求速死。了此一段孽債也。」母子復相抱大慟。方心悔懼。復往姑家。果于罎上得父之親筆紙卷。一慟幾絕。從此不復宰殺。此係近時實事。

變猪償債（二）

高郵村翁。養一母彘。生育甚繁。年久致富。忽夢舊鄰某曰：「吾年來還汝債。幸已足數。止欠一肩蘆蓆耳。」覺而疑之。家人報母猪死。翁不忍食。命子埋之。方掘坎。適蘆蓆船過。問埋何物。子以死豬對。舟人曰：「勿埋猶可啖。」以蓆一肩易之。子持蓆歸。翁詢知之大嗟嘆。

變猪報仇

齊襄公無道。姦佔其妹文姜。謀殺妹夫。即魯桓公。罪坐彭生殺以飾非。後出獵。見一大豕。熟視之。乃彭生也。射三矢不中。其豕忽作人啼直立。齊襄公驚墜車下。傷足失履。被豕銜去。及連稱等作亂攻入。襄公匿於深處尋不見忽豕出其履稱等見履搜出殺之二事皆見左傳。

畢肖猪形

餘姚渡江橋下。有一家世業宰猪。其子尤善操刀。囊中頗充。遂娶妻。數年無子。身體漸肥胖頭頸亦日短縮。眼睛又俱深陷。畢肖猪形。忽染傷寒時作猪吼聲。至七日。發狂爬至橋上大吼。投水隨流而去屍不可得。

足如猪蹄

潮州某縣王二者。業屠很惡異常。且好用假銀。生一兒。頭有兩角。長寸餘。足如猪蹄。三歲夭死。

猪魂戀肉

有士曾爲百夫長。自知三生事。過維揚興教寺。語寺僧曰：「某一生爲馬。一生爲蛇。一生爲猪。馬畏跌。蛇畏六月蒸暑。猪畏身首分離。在屠兒肉案時。栖魂案下。伺買者過或云三斤。或云五斤。或云十斤。魂從其多者而悵惶四顧。吾魂或浮游刀砧上。或浮游湯火中。或浮游盤器側。或浮游口鼻旁。凡我肉處。無不到。戀戀不已。只待肉盡我魂方釋。又歸來附案下。待屠兒肉一毫都盡。吾魂欲四逃。茫然無向。一言畢。士猶淚下如雨。

猪變人形

歙篁城徐翁漢才。列肆皖城。兼事屠割。日宰數十猪。積有年矣。一日暮歸。見肆門懸肉。盡變人形。大駭。呼燈燭之。依然猪也。乃悟羣畜皆人入輪迴者。爲延僧梵法以懺之。從此罷肆業。

猪變人頭

浙江餘姚北鄉河市地方。有泰和肉店。主人和生者。業屠已三世矣。有一猪方殺。哀號不已。淚下如珠。和生猶不之怪。待屠畢。去毛既盡。瞥覩所屠猪首。變爲乃父之頭。審視大驚。即挈而埋之。不敢告人。旋于晚間。復遇所埋之處。忽見其故父問彼招手。和生駭懼逃歸而病。數月方愈。

猪作人言

隋開皇末。渭南有人寄宿他舍。聞二豕對語。其一曰：「明日殺吾供歲。何處避之。」一答曰：「可向水北姊家。」因相隨而去。天將曉。主人覓豕不得。宿客言狀。如其言而得豕。二豕作人語。足證衆生雖墮異類。靈性猶存。豕之前生是人可知。

（四）變牛類

逆婦變牛（一）

甌郡西村有駱翁者。幼爲人牧牛。長入營。食馬糧。又常紲犬入山捕野獸。偶得無主橫財。成巨富。生三子。各爲娶婦。皆舊家女。翁與嫗自知出身寒微。不敢與三婦爭禮。飲食供奉。如待尊客。三婦習爲固然。稍有不到。非形諸顏色。即見於言語。翁嫗皆忍氣吞聲。不與較也。長婦呼翁曰：「老牛。」姑曰：「牛婆。」次婦呼翁曰：「老馬。」姑曰：「馬婆。」三婦呼翁曰：「老狗。」姑曰：「狗婆。」各指其年幼鄙事嘲笑之。翁好吸煙。時不離口。三婦暗將牛馬糞晒乾拌入。翁吸出穢氣。知是三婦所爲。呼三子至前。欲加杖責。三婦挺身出曰：「牛馬乃翁之故交。少時不嫌。今反嫌耶。若論成家之由。翁當報狗恩。食狗糞。何牛馬之足云。」各拉其夫歸房。其父母反云：「翁嫗淩辱其女。」率領多人。將翁毒打。翁反治酒賠情。自是任其無禮。再不敢與較矣。一日値翁生辰。三婦並不慶祝。擺酒肴至後園會飲。以牛馬狗爲令。長曰：「牛不耕田。該打一千。」次曰：「馬不行路。該打無數。」三曰：「狗不食屎。合該打死。」正在鬨笑忽天起黑雲霹靂一聲長婦化爲牛次婦化爲馬三婦化爲狗惟手足不變尙能言語送信其父母家皆恥而不來三畜與以茶飯皆不食見牛馬狗糞食之立盡遠近聞者皆來爭看數月皆死

逆婦變牛(二)

江陰長涇婦夫死而虐其姑有所顧指恐恐然不敢犯婦遠出計期留米於廚叱姑曰：「與若食無費」出門後有僧持鉢乞施其鄰與之米而不受堅求其姑廚下米姑曰：「此絕我老婦命也」僧出敝緇衣爲質姑以情告「我老不堪爲媳箠楚」僧強納衣攫米而去日暮媳以他故還索米不得叫罵逐姑姑曰：「僧言著衣愈百疾特爲娘子留也」媳聞能愈疾試披之著身遂不可脫須臾生角成老牸矣姑急牽其手手仍爲人形觀者如堵與之飯

不食僅嚙生草非姑親飼不食天啓丙寅年事此不孝於親者神使變畜爲婦者其鑒之

殘忍變牛

元秀家財四十萬有子四人其餘諸妾所生並瘞埋之一日夢中見十數輩來追殺人賊秀大驚起兩手兩足已爲牛蹄展轉於床大叫三日頭斷而死

殺降變牛

秦將白起慘毒好殺每出兵必斬首十餘萬又用詐謀殺趙降卒四十餘萬屍積如山血流成河惡貫既盈旋卽見殺於秦子孫絕滅至唐時雷殛死一牛有白起二字明時雷殛死蜈蚣一條亦有白起二字其誅降戮服之罪誠萬刧不赦矣

奸臣變牛

李林甫未顯時。遇一道士戒之曰：「君前生多善。名列僊籍。縱不白日昇天。亦爲二十年太平宰相。異日事權在手。切勿有所陰賊」及既貴。怙寵害人。每夜坐偃月堂。閉門搆思。喜悅而出。則明日必有誅逐。久之。復夢道士曰：「君忘吾言乎。今獲罪矣。」於是命吏引入一處。耳中惟聞風水聲。府署森整。帳榻華侈。林甫喜曰：「居此亦自不惡。」道士笑曰：「此乃鱗介所居。其間慘苦殊甚。尚謂不惡乎。」林甫駭汗而寤。未幾。白日被鬼毆。七竅流血而死。明年。卽剖棺斲屍。後里中。一牛震死。身有李林甫三字。又惠州雷擊一娼。脅下書云。李林甫。毒害弄權。帝命震死。又陸某割雞請客。而雞背宛然李林甫三字。驚而不食。

謀財變牛

浙江義烏有周務珠者。無正業。在縣之佛堂鎮傭工度日。居年餘。忽家計充裕。人亦不知其財從何來。某夕自鄰村夜飲。歸途中喃喃作囈語。同行者疑其醉。不之怪。次日偶臨水照影。見水中所現非人身。頭有角。狀如牛。乃大驚。奔回。若有所失。精神恍惚。告其妻「有冤鬼至。吾于數年前往紹興販冥鋃。途遇一客。携巨貲、因隨行至隱僻處。殺之。沉屍于河。取金以歸。今見此人至。吾命休矣。且有鬼吏俱至。言冥曹科罪。罰吾爲牛。汝可穿吾鼻。貫繩牽以示衆。」又曰「吾既爲牛。不應有手指。汝可爲吾斷之。」妻不忍。遂自咬指。盡落。乃伏地作牛鳴。予以飯。不食。投以草。乃嚙之。幷求牧者加鞭撻。謂愈重愈佳。否則鬼吏更施酷刑。尤爲痛楚。如是者一晝夜。觀者如堵。臨歿勸人勿爲惡。謂陽世法律。或可漏網。冥法嚴密。無倖免者。世人當以我爲鑒。此民國十五年三月十二日事。

陰惡變牛

夷堅丙志曰。長洲人尤二十三者。富民也。居於大瀆村。紹興三年感疾死。初無他異。既而鄰邑崑山之東農家牛生白犢。脅下黑毛成七字曰「尤廿三曾作牢子」。蓋尤始貧時。曾爲縣獄吏。有陰惡云。尤氏子欲贖以二萬錢。其家不許。

化牛償債(一)

秦雍年老。鄰人王姓。負銀不還。實望秦之老而死也。王乃先死。託夢於秦曰「君壽正長。今我乃還債矣」。秦家牛生一犢。叫王姓名。犢即點頭。

化牛償債（二）

田有才欠洪成裕錢三百千。久而未償。洪商於湖南。數年不歸。有人傳其已死。田大喜。具香燭詣二郎神廟祝曰：「聞洪某客斃他鄉。但求此信果眞。願備牲禮酬神。如係傳言之訛。望神顯靈令其速死。」後洪得重利歸家。田躲避不見。洪亦不較前欠。竟相忘矣。田染時症身死。年餘。鄰家磨房買一驢。壯而有力。一日倒地不肯起。重鞭之。乃作人言曰：「我田有才也。欠汝錢五千。今已還完。要到洪成裕家變牛去矣。」鄰衆聚觀。問曰：「爾欠洪家何物。又墮畜道。」答曰：「我欠伊三百千。不合向二郎神前願他身死。毒心惡口。與禽獸無異。故罰變爲牛。爲伊耕種十五年。臨老受屠宰之苦。乞語我子。速變家產淸償。庶得減罪也。」衆奔告其子。不信。親問之。驢仍述前言畢。立死。子乃具本還洪。時成裕久故。子亦盛德。曰：「舍間昨產一牛。不意有此一段因果」卽查原約燒燬。將錢兩分之。一半給田之子以體父志。一半施寺僧爲養牛之費。牛得善終。

化牛償債（三）

吳興王某。勇悍强暴。每用詐計。誆買人田。哄契到手。止交半價。便挾契管田。餘皆拖騙。其放賬則本利全還。猶借帖不退。分外多索。人畏其勇。莫敢與爭。一日暴死。鄰家生一牛。主人往觀。忽作人言曰：「我王某也。陰司以我騙汝田、價罰爲牛。以償之。快叫我子來。令其奉還」主人驚異。往呼其子。至高聲問曰：「牛何在」牛羞慚。埋頭不應。其子以主人謗父。大怒。揮拳欲打。牛出言曰：「汝莫逞强。陰司報應甚嚴。因歷數某田欠價若干。某賬原帖未還。在於何篋。汝須一一淸楚。以脫我罪。」言訖大哭曰：「我在陰司。受苦甚慘。今變爲牛。如何見人。不如死去。」因以頭觸柱死。觀此則王某一死。所騙財產。其子承受。以爲當然。又誰計其父變牛以償乎。若非現身自言。則鄰家之牛。其子或借以背犁鞭棍加之矣。嗚呼。言至此而不醒者。乃頑石土塊。非人也。

化牛償債（四）

六合張家。頗富有。尤門子負其銀若干。忽夢尤曰：「我來做牛償前負。」其夜產一牛。跡尤於昨夜死矣。後於羣牛中呼尤門子。此牛卽叩頭。曰「汝來償債乎」。又卽叩頭。若應者。夫財雖身外之物。可得可失。然臨財分明。義所當然。彼負心者。宜其入於異類也。語曰：寧人負我。我毋負人。執此臨財。其庶幾乎。

化牛償債（五）

太原王彥須借其鄉長者銀一兩八錢。買舟度生。家稍贍。王竟忘前義不償。忽經八載。長者亦忘之。一日閒步舍旁。忽見王腰繫汗巾。竄入牛欄。少頃牧童報云「牛母生犢」長者卽往觀。小牛腰間。猶宛然汗巾紋也。默識之。及年餘。小牛肥潤壯大。令牧童牽鬻之。偶遇何屠問價。童應以一兩八錢。蓋長者所囑也。屠私喜以爲此牛不止此直。遂依價牽去。有一農見而問曰：「牛甚肥。當春時。何忍殺之。轉賣我耕田可乎。」屠紿曰：「適用價二兩五錢得之。若再加一錢。卽與汝。」農又喜此牛過於是值。隨以二兩六錢還屠。較之長者。又增八錢矣。牛歸農家。不須管理。自然往返。一日失所在。徧地尋之。已仆於山岩下死。農頗恨。後遇何屠於市。共叙始未。農故耕長者田。乃詣問曰：「此牛何故止鬻此值。」長者曰：「汝不知也。此是稍子王彥須託胎塡債。我所目擊。彼原欠我銀一兩八錢。故止賣此耳。」何屠聞之。始大悟曰：「王稍亦欠我肉價八錢。」農亦悟云「我借王稍銀二兩六錢未還。今故取此償彼也。」相大駭。異事在明萬歷己丑年。

肢變牛蹄

大庾蘇小二好宰牛。病月餘。忽兩手兩足皆成牛蹄。年餘而死。

額生牛角

鎮江華回子父子宰牛。一日仆地作牛鳴。臥病月餘。額上生雙肉角。長寸許。觸之極痛。死時鄰里皆聞牛屍氣。

牛作人言

沈遇知杭州將赴任。所過堰。皆集牛牽挽。時値隆暑。官役露宿堰上。忽聞呼以排行者曰：「來朝何生活」一曰：「沈幾之子知杭州。今過此吾輩又增一番勞苦。」一曰：「沈幾且有子知杭州耶。」嗚咽悲嘆。衆官使人迹之。乃堰上數牛有流淚者。衆嘆曰：「安知此牛非沈幾親舊耶。」遇聞之大驚。亟命減載。未幾擢秩。

(五)變驢馬類

侮父變驢

明正德時。平陽周振。恃才狂傲。値科試。爲家中細事。侮其父曰：我貴子也。非汝所生。父忍之。是夜振夢被攝至冥。冥王罰其變驢。振辯無罪。王曰：「汝侮父。應墮畜道。且眼界自大。傍若無人。更去兩目。使推磨受鞭』—振語塞。蒙驢皮出。覺後自言。作驢鳴死。

逆婦變驢

陝西固城縣。有不孝婦。平時。待其姑如虐奴婢。非一日矣。庚辰正月初一日。早起。婦忽向姑詈罵。喃喃不絕口。姑不理。而往別家拜年。有頃。不孝婦入房。關門而臥。久之不出。但聞房中有聲如牛馬走。迨姑回欲啓房視之而不得。急呼他人。踏門入。惟見此婦臥于地。一腿已變成驢矣。越數月方死。

作僞變驢

戚弘猶心巧膽大。善於謀利。人所不敢爲者無不爲之。人所不敢取者無不取之。能將銀鑽空灌鉛。又能造白銅假銀。出外買物。被人識出。彼以遠颺。其與販諸物。或以土攙鹽。以石灰攙麵。以沙泥攙糖種種欺天害理之事。靡不做到。一日從湖南販米。舟過洞庭湖有天后娘娘廟。戚與同伙到廟遊賞。方入門。如有物擊者。大叫昏暈。衆扶回船中。不能言語。惟作驢鳴。稍頃漸變驢形。衆計曰「戚某惡人也。其子有父風。我等同伙而來。戚變驢回去。其子必不肯認。到官妄告我等。死無日矣」乃備牲楮。同至廟中。禱方畢。戚忽躍起。後蹄著地。奔至神座前跪下。曰「娘娘已允爾等所請。俟我到家。從重發落」即復原形。問之一字不知。有告之者。戚反謂其辱己。欲與拚命。抵家後。值歲荒米價湧貴。戚大喜。與子計議將米攙水。每擔可出加二。忽瞪目呼曰「娘娘遣差持兩驢皮至矣」父子倒地打滾。同變爲驢。家人恥之。關閉廄中。大肆嘶齧。出外芻牧則安然。人以老戚驢小戚驢呼之。即應聲而至。嗟乎。計戚變驢之後。又復原形。若肯從此改行。則天后娘娘當必予以寬典。乃怙惡不悛。忍於荒歲將米攙水希圖加二利息。究之重利未曾到手。而父子雙雙畜矣。採取姦利。亦何益哉。

欺妄變驢

泰州劉自然者。管義軍。因蜀亂。欲點鄉兵捍城。紀縣百姓黃知感名在籍中。當行。自然聞其妻髮美。欲得之。誘知感曰：「能致妻髮。即免是行。」知感歸謀之婦。婦曰：「髮可再生。人死永訣矣。君若南征不返。妾留此美髮何爲。」言訖。攬髮剪之。知感甚痛惜。然迫於遠役。遂獻於劉。而戍終不免。尋歿於金沙之陣。其婦晝夜禱天號訴。是歲自然亦亡。黃家牝驢忽產一駒。左脅下有劉自然字。邑人傳之。達於郡守。守召其妻子識認。其子曰：「某父平生好飮酒食肉若能飽啖。即某父也。」驢即飲酒數升。啖肉數觔。食畢奮迅長鳴。泫然淚下。其子請備百金贖之。知感婦不許。日加鞭撻。曰：「猶足以報吾夫也。」其子亦羞憤而死。

貪求變驢

孫南金以交結官吏致富。晚年益多貪求。凡人所不敢為者。無不為之。人所不敢取者。無不取之。忽得惡疾。飲食不進。枯瘠如柴。及死。乃作驢鳴不已。

貪贓變驢

蔣某丁丑進士。任山東分守道。有兄弟爭祖產。兄賄金二百兩求斷。弟賄金三百兩求斷。蔣俱受之。因弟金多一百。乃斷與弟。兄氣鬱死。後蔣死。里有紳士死三日復甦。喚蔣子謂曰：「我到陰司見令尊已變成驢。託生於某家。』蔣子不信。紳士曰：「令尊任山東時受賄枉斷。由爾僕某過付。可問之。」果然。紳士曰：「令尊託我帶信。叫你退還此金。以脫其罪。」蔣子從之。並往買其驢。寄養於揚州放生庵。用二僕飼之。三年而斃。

刻薄變驢

黃州有時顯之者。富而刻。一李姓者。借時銀四十兩。本利俱楚。以平日交厚。偶失取劵。數年後。時執前劵取償。李重還之。始滅劵。未幾。時死。李家一驢產駒。額有白毛。作時顯之三字。時家聞之。來買。然驢兒價不過一二金。力挽不前。添至四十金。方行。

背夫變馬

唐并州文水縣李信。為隆政府衛士。顯慶某年冬。乘赤騍馬。并帶驥駒一匹。隨例往朔州赴番。時風雪嚴凝。行十餘里。馬不能進。信鞭之數十。馬遂作人語。謂信曰「我是汝母。爲生前背汝父。將石餘米付幼女。故今獲報。此駒卽汝妹也。亦爲償債耳」信聞之不勝悲泣。乃躬負鞍轡。告之曰「信是我母。當自行歸家」馬遂前行。至家。信兄弟乃別作廠室養飼。有同事母。常爲其齋僧禮懺。合門精進修持。時工部侍郎溫無隱。岐州司法張金停。俱以丁艱在家。聞而駭異。就家詢之。見馬猶在云。【按】財物之可通融者。無如夫妻子女。乃猶毫不假借如此。然則世之偏憎偏愛。而私爲厚薄者。可爲寒心。

手類馬蹄

薛福成曰。吾錫汪寫園先生。以進士爲四川縣令。其本管知府牛姓右手爲人手左手如馬蹄。能自記三世之事。歷歷不昧。謂先生曰：「余前生爲一將官。因征苗。殺戮太多。冥司罰令轉生爲馬。余旣生櫪間。回顧本生。儼然馬也。因悲鳴踶齧。不食死。冥司仍令爲馬。不敢復求死。旣壯。爲某將官坐騎。某將暴戾性成。往往鞭刃交施。受盡百般痛楚。一日戰敗而遁。追兵急。余負將疾奔。忽臨一山澗。寬約丈餘。對面銳石削立如峯。余念躍過則身死。而吾主或可救。不躍則主必爲追兵所殺。乃一躍而過。余腹觸于銳石。腸裂而死。某將竟以身免。冥司以余忠。許轉人身。且爲文官。秩至四品。方余之轉生爲馬也。鬼卒以馬皮着余身。及余復爲人。迺鬼卒將余馬皮削去。而余已三世爲馬。皮肉粘合無間。乃以刀劃之。痛徹心骨。劃至蹄尖。尤不勝其痛。余因縮去左蹄。鬼卒竟未之覺也。孰意轉爲人身。而馬蹄猶未去手。此太守所自述者也。

腿有馬毛

江南某將軍者。自言一世爲官。因悞殺一囚。一世爲馬。在棧道驛遞中。雖爲馬。猶記前生事。但不能言耳。一日遇急差。於險峻處痛鞭之。馬恨甚。欲墮崖殺之。忽念我本爲人。居官因枉殺人墮畜道。今復造業。永無超脫之日矣。作是念已。旋得病死。今生得爲將軍。然作馬之苦。歷歷能憶。特製軟鞍橋數百副。施棧道中。蓋驛馬奔騄馳蹶。背上木鞍橋最痛故耳。將軍左腿。猶有馬皮毛數寸。可信。

(六)　變虎類

淫惡化虎

唐隴西李徵皇族也。家於虢略少博學。善屬文。弱冠貢舉。旋登進士。後調補江南尉。以倨傲不爲同僚所喜。謝秩游吳楚間。所至聞聲相慕。饋遺甚富。方西歸虢略忽於旅次發狂夜走。莫知所適。僮僕跡之月餘不得。遂挈其貲馬遁去。明歲。其同年進士陳郡袁傪以監察御史奉使嶺南乘傳至商於界。突有一虎自草中出。傪驚甚。俄虎仍匿草中作人言曰：「異哉幾傷故人。」傪聆其音似李徵者。詰之果徵也。請其出見。以形狀醜惡羞見故人。對因互道往事。相與悲歎。傪問其有何夙業。膺茲天譴。徵遂言嘗於南陽郊外。私一孀婦。其家知之。欲圖加害。由是不得復合。吾因乘風縱火。一家數口盡焚殺之而去。不圖以是淫惡。遂化異類。爲可悲也。言竟。復口授所作舊文二十章。乞傪之從者筆錄以遺其子。并口占一詩云「偶因狂疾成殊類。災患相仍不可逃。今日爪牙誰敢敵。當時聲跡共相高。我爲異物蓬茅下。君已乘軺氣勢豪。此夕溪山對明月。不成長嘯但成嗥。」傪後遣使持書及賻贈之禮。訃於徵子。告以其父已死。徵子得訃。遂入京詣傪求父之柩。傪不得已。始以實告。并分已俸給徵妻子。俾免凍餒焉。傪後官至兵部侍郎。事詳唐李景亮所撰人虎傳。此其大略云。

嫉妬變虎

台州司法葉薦妻方氏。天性殘妬。婢媵無不受其酷虐。薦不能制。中年無子。不敢娶妾。一日夫婦相對無聊。薦長歎曰：「吾年已邁。豈復作少年好色態。但六旬老人。尚無子息。奈何。」妻曰：「待吾亦過六旬。任爾自爲之。不復禁也。」越數年。果娶一妾。方氏絕無惱色謂薦曰：『吾老矣。不耐煩劇。須別治一室。使我獨居。得茹齋誦佛。以終天年。』薦從之。未幾。遣其妾往問候焉。薄暮不出。薦心訝之。窺其門寂如也。急令家人破門入。則見方氏。撲地。騰躍、變一斑斕猛虎。已竄出門外矣。室中血肉狼藉。止餘一首兩足。視之乃妾也。薦驚悸欲絕。虎既去不知其蹤。聞山中有二禪師。知過去未來事。薦往參之。問其故。師曰：『此乃汝妻毒心所化也。緣獨處多時。忿恨滿腹。一見妾至。怒氣勃發。遂現此形。傷其性命。今已驅入冥獄矣。』

唐史顯慶二年。涪州民。范端化爲虎。

又久視二年。郴州佐使。因病化爲虎。欲食其嫂。擒之。未全化。而虎毛生矣。

（七）變鱗介類

慢夫變蛇

蜀將杜企娶張氏。十餘年生一子。企素怯弱。中年益多病。視聽步履。皆不任持。不獲張氏一顧也。張忽暴卒。化蛇而去。

虐婢變蛇

張郡衛氏苛虐不仁。奴婢以咎死者甚多。中歲病惑。獨閉室臥。自云。「不欲見人。」人至輒忿怒。久之。人聞室中有瑟瑟聲。窺之。已化爲蛇。衣服髮爪散委牀下。家人怪之。殺而焚焉。此止知婢僕之可虐。而無一毫憐憫之心也。凡爲婦人之不仁者。亦知有此毒報也乎。

害人變蛇

廣西近山處。人多習蠱毒之術。有婦人某氏。開旅店生理。善蛇蠱。其法殺小蛇製藥。爲天下之害。爲百世之患。不知創自何時。造自何人。其人當永入刮心地獄矣。視彼施良方送妙藥以修福者。當必汗顏無地也。人食之則腹生小蛇。立死。害人累累。一日其婦扃戶晝寢。久而不出。家人聞房內有跳躍聲。開戶視之。則身已變爲蛇矣。一日換了皮。害人終害己。不報之來世。必報之今生。其報顯矣。不報之子孫。必報之本身。其報速矣。不變飛禽。不變走獸。獨變爲蛇。其變巧矣。

殘殺變蛇

案梁武帝好僧佞佛。每日淸齋。與寶誌公參禪悟道。郗后諫曰：「陛下爲天下主。若與耆德碩儒。講求治法。自然四海昇平。萬民樂業。國祚綿長。今誌公不耕而食。不織而衣。乃天下之亂民。未聞與亂民共處而有裨萬幾者。」武帝曰：「卿若見誌公。當不作是語」后曰：「妾明日當備齋飯供養。觀其德行若何。」命御庖煎肉雜各色素菜。製成饅頭。次日乘輦至寺。各賜四枚。每僧令二美貌宮娥。執盞奉茶。衆僧魂銷意亂。食之立盡。后遙見大笑。惟誌公合掌瞑目。置而不食。后後傳旨相勸。誌公說偈曰：「道能制魔。魔能亂道。穢食餧人。難免蛇報。」稽首謝恩。畢令大衆埋之。越數年。郗后崩。武帝思之。每日念經超度。一日坐便殿。忽聞樑間有聲。視之。乃一大蟒。作人語曰：「妾乃郗氏。因在世不合以穢食破僧戒。故罰變此形。日居糞窖。受無量苦惱。又曾鞭殺宮女多人。盡在陰間索命。每逢三六九日。受鞭一百。疼痛難忍。望陛下救援。」帝曰：「吾久命僧脩懺。豈盡無靈。」后曰：「彼皆濁俗凡僧。未得感通。陛下如肯相救。當延智慧名僧。方可有濟。」言訖不見。帝乃遍選天下有道之僧。四十九人。改經文三卷。今之梁皇水懺是也。觀郗后．諫武帝數語。侃侃正論。可稱賢后。乃因一念之迷。即墮惡道。穢食餒人。其可忽乎。

殘殺變蛇（二）

太倉衛指揮王二初生下盆。即能言隔世事。言前生係山東某府大鄉宦公子。家累巨萬。最好施予。廣積善果。但性凶惡。捶殺僮僕無數。死見閻君。罰於金陵聚寶門內城磡下為蛇。身既大而性不昏。厭惡。欲尋死。乃夜以身橫城門下。五更城啓。為衆車輾爛。蛇魂復見閻君。閻君曰：「汝蛇報未滿。何得自尋死乎。當再為蛇。抵除夙業。」余叩首哀籲。懇陳不願。閻君曰：「汝卻作得有福。當受福報。惜以惡心定業未消。」余又懇苦求免為蛇。閻君曰：「也能只得帶餘報去。』乃命託生太倉衛爲指揮。家亦豪富。但胸前有一蛇皮。斑剝膩滑。長七八寸。闊二寸。每至暑月。腥氣逼人。滿座掩鼻。時令家僮以盆水頻頻揩拭。慚恨切齒。後兄死。得襲職。州人稱「蛇皮王二」。爲余先君時時援此以爲訓誡。

惡毒變蛇

南史傳縡強直有才。而毒惡傲慢。爲當世所疾。施文慶等譖之。後主下獄死。有惡蛇屈尾至靈牀。當前受祭酢。去而復來者百餘日。說者此惡蛇。卽傳所變云。

刀筆變蛇

順治十六年。績溪縣令李之㮶以公事之江甯。與陳經歷同寓。一日陳入浴。李窺見其下體有鱗甲。異而問之。陳曰：此吾前世事也。

轉生之時。冥王囑我宣言以爲世勸。故不敢隱瞞。憶吾前身乃一庠生。亦姓陳。家貧。與人作狀。枉害人多。中年暴亡。被拘至冥。冥王怒曰：「汝命該由貢生。授爲經歷。因爲惡削去。所作諸惡。今當受報。」命押入地獄。照罪加刑。慘苦已極。月後方判入畜道。帶至轉輪司。頃刻如旋風飄蕩。莫知所止。風定時。聞耳邊有豬聲。開目視之。已變爲豬矣。年餘宰殺。熱血澆心。痛不可當。一魂赴陰司。哀求人身。王叱曰：「汝罪有七劫畜牲之苦。何得就轉人身。」又命推赴轉輪司。其狀如前。移時開目。則變爲蛇矣。見老蛇在傍。啣死鼠飼我。我不肯食。飢莫能忍。試食之。味甚甘。因亦食焉。久則老蛇不知所在。吾漸長大。自思受報若此。何敢再傷物命。藏匿洞中。惟飲清泉而已。猶憶爲秀才時。聞人傳言。謂念阿彌陀佛。可以懺罪於是勤念佛號三年。苦無了期。因自尋死。見推車人來。吾即橫攔於道。被車一研兩截。一魂赴陰司。哀求人身。冥王方笑曰：「汝爲蛇猶知念佛。可消罪愆。今不但還爾人身。且還爾官職。轉生之後。將此因果說與人間。方知儆懼。」乃命鬼卒與吾脫去蛇皮。自首剝至腰間。吾痛甚擺動。鬼卒不喜。下截尚未脫完。即發往轉輪司。余昏迷不知。少頃聞人笑語曰：「好好是個男兒。」吾驚覺。始知得復人身。心甚喜。周歲後。吾母以肉飼我。輒吐去。自小持齋。蓋欲報佛解脫之恩也。七歲後。吾父教吾讀書。喜吾前生之書。尚能記誦。十七歲入泮。三十六歲拔貢。後赴朝考。得授斯職。今四十有五矣。回思往事。夢寐驚畏。嗟乎。天下受虧最慘者。只有惡人不信因果。死後方知其難。可勝悲哉。今雖居官。分毫不敢苟且。待任滿辭歸。

捐薄產入寺參禪。而人間之事。非所願也。」

化蛇報讎

陳一清妻三舉女胎三斃之。萬歷甲午夏復產一女。置之溺器中。封其口。踰時啓而視之。有一紅蛇躍出。纏其左股。牢不可解。昂首碎其腹。遂與蛇俱斃。

人變爲黿

後漢書載。靈帝時江夏黃氏之母。浴而化爲黿。入于深淵。其後時出見。初浴簪一銀釵。及見猶在其首。

又晉書載。孫皓寶鼎元年。丹陽宣騫母年八十。因浴化爲黿。兄弟閉戶衛之。掘堂上作坎。實水其中。黿入坎遊戲。一二日。恆延頸外望。伺戶小開。便輪轉自躍。入于遠潭。遂不復還。

漸成龜形

唐咸通中。有人涸池取魚。獲龜甚多。悉刳其肉。載龜板鬻之。忽遍體患瘡。痛楚異常。須大盆盛水。舉體投水中。稍快。逾年。五體團縮。漸成龜形。肉爛而死。

煠蝦變蝦

建炎中。謝亮經漢江。晚泊。見岸上蟻羣不絕。入水悉變爲蝦。迹所從來。乃自小塚中出。詢之居者。云「一問乃翁。居此三十年。以煠蝦爲業。死數月矣。此其葬處也。」始知蟻食其屍。復還蝦形云。

臨歿變形

杭州鄭某。開熟盆酒肆。所殺不一。歿時。見羣畜索命。口稱雞來則兩臂煽動。如雞被殺。以翅撲地狀。口稱鵝來。則伸頸搖臂。喉音啞啞作悲鳴狀。口稱饒。來則縮頭手足作拘攣狀。每稱某物。則作某物被殺時狀。備極惡形而死。

作惡化蛆

康熙年間。有周姓者。爲人老實。開張布店。一日在店中。忽見四陰差。蜂擁而來。將周鎖扭拉去。家人疑其中惡。延醫調治未甦。周魂與差同至城隍府前。有吏持公文付差曰：「可將此人解往南京都府投訊。」四差同周卽行。過高寶揚州。至儀眞渡江。霎時到省。赴都府投交。候出批文。又解杭州都府。周與四差過鎮常蘇嘉諸郡。轉瞬到杭。足似騰雲。不甚困苦。至都府前。見侍衛森嚴。周不知何事被拿。徬徨悚懼。忽一少年女子指周罵曰：「還我命來。」周答以素昧生平。莫非錯認。正在爭辯。聞內擊雲板。鼓吹開門。都府陞堂。衆役將周與女帶進。跪堦下。都府看原狀畢。命取前案。吏進破爛卷宗一束。都府閱之良久。叱女子曰：『這婦人狠刁。原來係已結之案。如何又來控。』蓋此案乃前明嘉靖二十年事。杭州有土棍劉爲麟。愛鄰家趙姓之女。欲謀作妾。先用銀作囮誘趙以女質借。時周前世名李廷秀。作代書。善洗補字跡。得劉銀四兩。將其劵內質字挖去。改爲賣字。銀到取贖字。改爲情願爲妾字。女被姦佔。二年日受打罵。自刎而死。一靈不昧。赴東嶽帝控告。批發杭州都城隍查究。審出眞情。劉爲麟罰一世變豬。二世變犬。三世變牛。緣作牛又不馴良。觸死人命。罰入蛆蟲道。魂魄銷滅不可追矣。李廷秀不合得銀四兩。助人爲非。罰變爲豬。再世三世爲鼠。循謹無過。四世託生爲周。去嘉靖時已一百七十餘年矣。因當初結案時。

未將趙氏作何安插。以致沉埋至今。新府到任。趙氏復控。准簽都府看明原由。諭掌案吏曰：「速令趙氏轉輪。以斷葛藤」。吏跪稟曰：「歲終人丁報册。若被岳府檢出。不但前此下吏俱得重譴。並歷任諸府。亦有失察處分。惟佛力甚大。能令亡魂。從蓮花化生。不由地府轉輪。則彼此無碍矣。」府點首稱善。謂周曰：「爾助人爲非。雖已受報。但此女久無歸着。亦爾未了事也。宜速同回。延僧超度。」周叩首情愿。府即諭差送歸。周攜女同行。不復詬詈矣。至家而甦。即日廣延僧衆。虔誦佛經。七晝夜。向西化紙。見女從火光中作謝狀。冉冉而去。

化怪物（一）

順治間。徽州一丐。背曲如弓。項下復有一骨。面常仰。目鼻俱向上。

長不滿三尺。而飲噉饕餮。日持鉢沿門乞食。不足則取道中陰溝水啜之。自言能知前世事。每謂人曰：「我前生一富翁也。初甚貧以出入貲宦家。賺其貲。盤算厚利。漸致富。益自驕肆。享用二十年後病死。冥司欲罰爲犬。判官曰：「不可。犬一飽卽眠。見人至嘷嘷跳擲。人輒避之。是仍一富翁相也。須罰爲貧兒。以償夙惡」。我前世嘗挺身傲客。故今罰我曲背。又嘗頤指使氣。受人諂奉。故今罰我仰面。前世飲酒食肉而性鄙吝。不肯與人一臠一勺。故今罰我饕餮難飽。俟滿二十年。惡債當再託生犬腸矣。

化怪物（二）

富春大貢寧標其子寧固爲邑諸生。濫忠孝之名。竊文壇之席。貶駁人倫。輕侮師友。父子濟惡。諂諛上官。詐害平民。起滅詞訟。因而致富。崇正六年。直指梁公按越。廉得其惡。密訪之。將拿而困已逃諸楚矣。田産屋廬。妻妾婢僕。當時嚇詐而得者。盡爲人訐告。梁公訊實。一一給還。合郡稱快。困在楚。窮困無所資。爲人膽寫。復以詞狀詭人爲有力者。數擊垂斃。自此恍惚。如非刑立至。雲雷下擊。安身無所。有識者知爲逃生也。衆益薄之。越二年。過衆鬼。扭至州上。衆鬼曰：「汝父子一生賊害人多。即兄弟親朋。俱懷一點賊心相待。今薄贈爾數種。回去更好恐嚇於人」。於是變之爲金雞之嘴。銅鈴之眼。斑斕之面。焦黃之鬚。如豺之骨。棄之中野。譁然而去。困悲啼入市。羣以爲鬼魅而不近之。乞食無門。饑渴數月而死。其父於他邑逃回。爲鄉人所不齒。亦行乞而終。

化怪物（三）

廣西吳元裕秉性苛刻。聞人善言。毀爲道婆。見人善事。笑爲迂腐。甚至古聖先賢。莫不遭其訕謗。一日天暑。到廟中乘涼。恍惚如醉。見一奇形異狀可憎之人。拱手告之曰：「我在世以陰計害人以毒口傷人爲人鄙棄。不自悔過。反指天怨恨。觸怒陰曹。罰入黑暗地獄。苦歷八百餘刦。今已業滿。須得一人代抵。方得轉生。遍覓世間。惟君之所行。與我相同。欲求替身。非君而誰」。遂近身摟抱合而爲一。元裕醒後歸家。妻子怪其形變。攬鏡自照。見面目彷彿與夢中人相似。一切朋友鄉黨。被其侮嫚。原不往來。自此更遠遠避去。不與爲禮。甚至同胞兄弟。亦惡如穢糞。而加嗔叱。更可異者。元裕每淸晨出門。有遇之者。其人是日必有意外懊惱之事。皆畏如梟獍。不敢近。途間小兒。莫不擲磚拋瓦。羣相嘰唾。喝禁不止。誠莫知其然而然也。元裕家道本不甚豐。自遭衆惡。借貸無路。遂至衣食不充。貧窶萬狀。有舊交耿直者。獨不信梟獍之說。見而謂之曰：「子何一寒至此。吾泛海貿易。船中皆外鄉商客。不知子之行事。或可相容。倘得海外發跡。未可知也。」遂爲之措備行李。方開舟而風浪大作。船且幾覆。衆客呼天懺悔。風大浪甚。耿直忽悟曰：「得無有梟獍在乎。」與衆言其故。衆共推之上岸。風浪頓息。揚帆而去。所推之岸。乃係荒島。並無居人。元裕無處覓食。餓斃島中。

魚化人

隋史。開皇十七年。大興城袁村設佛會。有老翁。皓首白裙襦衣。來食而去。衆莫識。追而觀之。行二里許。不復見。但一陂中。有白魚長丈餘。小魚從者無數。人爭射之。或弓折弦斷。後竟中之。剖其腹。得杭飯始知此魚即向之老翁也。後數日。漕渠暴溢。射魚者皆溺死。

業變識變

古來墮畜生道者。如郗后之蟒。飛燕之黿。蔡元謨之蛇。夏英公之龍。章元禎之猿。李微之虎。陳國之牛。周震之驢。李時進之羸。江延斌之馬。李寀言之羊。瞿學究之犬。緬家奴之孤。劉機之豕。彭好賢之蚓。如此等者。縷縷不盡。豈盡謬耶。然猶曰稗官也。小史也。若至如牛哀爲虎。見史記。如意爲狗。見漢書。宣母爲黿。宋母爲鼈。見晉書。彭生化爲豕。伯鯀化爲熊。見左傳。左史漢晉等書。豈小說耶。總之輪迴以三業爲變遷。三業以識田爲歸宿。有善畫蛇者。生變蛇相。有善畫馬者。活現馬形。皆識爲之。釋門所以有轉識成智之法也。

海門陳鏡伊先生編

道德叢書

●耗費十年心血● ●修齊治平之道●
●成此一部叢書● ●包羅其中無遺●
●全部共計千數頁並有王一亭先生字畫數十面●

模範人生觀　勸學篇　立志篇　習勤篇　奉師篇　日常篇　交友篇　居處篇　運命篇　酒色篇
婦女故事　賢母類　賢婦類　孝婦類　節婦類　孝女類　慈婦類
家庭美德　夫婦篇　父子篇　兄弟篇　叔姪篇　宗族篇
孝史　事親篇　敬親篇　養親篇　侍疾篇　諫親篇　孝感篇　顯親思親篇
官吏良鑒　循吏類　清廉類　忠直類　仁慈類　奸邪類　地方官　財務官　考試官　外交官
法曹圭臬　審判官　律師　獄官
民間懿行　士篇　農篇　工篇　商篇　醫篇　雜篇
軍人道德　忠勇類　仁慈類　謀勇類　巾幗類　殘忍類　奸貪類
考試佳話　上編三十五案　中編十二案　下編四十案
巧談　上編四十三案　下編六十八案
人獸之變　上編獸變動物六十五案　下編人變動物六十四案
命相貞評　淫奢篇　改過篇　戀惡篇　定數篇
富室珍言　上編格例五十五案　下編懲例二十三案
冤孽　拆冤篇　顯應篇　淑化篇　現形篇　索命篇　投生篇　異聞篇　夙孽篇　心魂篇

●全部十四冊加發裝潢一紙精美書匣一只定價一元郵費角半●

發行所

上海霞飛路嵩山路口三層樓洋房道德書局
【電話八二七七四號】

另售模範人生觀巧談每冊各一角婦女故事家庭美德孝史官吏良鑒法曹圭臬民間懿行軍人道德

考試佳話人獸之變命相貞評富室珍言冤孽每冊八分以上同樣購滿五冊八折十冊七折郵費外加

國家圖書館出版品預行編目資料

人獸之變 / （清）陳鏡伊編
-- 初版 .-- 臺北市：
世界，2015.08
面；公分． --（道德叢書；11）

ISBN 978-957-06-0537-2（平裝）
1. 道德 2. 通俗作品

199.08 104014622

世界書號：A610-2169

道德叢書之十一

人獸之變

作者／（清）陳鏡伊編
發行人／閻初
發行者／世界書局股份有限公司
登記證／行政院新聞局局版臺業字第〇九三一號
地址／臺北市重慶南路一段九十九號
電話／（〇二）二三三一一一三八三四
傳真／（〇二）二三三一一七九六三
網址／www.worldbook.com.tw
劃撥帳號／〇〇〇五八四三七 世界書局
出版日期／二〇一五年八月初版一刷
定價／台幣一六〇元
道德叢書全套十四冊，定價二四〇〇元